LE LIVRE DES
JUGES
LE LIVRE DE RUTH

Ce fascicule a été revu, pour le Comité de Direction, par le R. P. AUVRAY, *de l'Oratoire, et par* M. Bernard GUYON, *Professeur à l'Université du Caire.*

LA SAINTE BIBLE

traduite en français

sous la direction de l'École Biblique de Jérusalem

LE LIVRE DES

JUGES

LE LIVRE DE RUTH

traduits par

Mgr ALBERT VINCENT

Professeur honoraire
de l'Université de Strasbourg

(2e édition revue)

LES ÉDITIONS DU CERF

29, boulevard Latour-Maubourg, Paris

1958

NIHIL OBSTAT : IMPRIMATUR :

Montsoult, die 13ᵃ decembris 1951. *Parisiis, die 17ᵃ decembris 1951.*

Paulus Auvray, sac. or. Petrus Brot, v. g.

LE LIVRE DES
JUGES

INTRODUCTION

Le nom.

Les Bibles hébraïques donnent à ce livre le nom de *Šopᵉṭîm* que les Septante ont traduit par Κριταί, d'où le titre que lui a donné saint Jérôme : *Liber Judicum,* Le Livre des Juges.

Dans nos Bibles françaises ce livre est le second des livres dits historiques, puisqu'il vient immédiatement après celui de Josué. Il occupe la même place dans la Bible hébraïque où il est le second des *Nᵉbî'îm rišonîm* ou « Prophètes antérieurs » (Josué, Juges, Samuel, Rois), ainsi nommés par opposition aux « Prophètes postérieurs » (Isaïe, Jérémie, Ézéchiel et les Douze Petits Prophètes). On sait que, selon une théorie explicitement formulée par Josèphe et précisée dans les écrits talmudiques, le récit des événements de l'histoire nationale aurait été rédigé à chaque époque par un prophète contemporain des faits. C'est ainsi que le Livre des Juges a été attribué à Samuel. Cette tradition se justifierait par le caractère religieux qui est commun à tous ces livres « historiques ». Ils ont pour objet principal les rapports d'Israël avec Yahvé, sa fidélité ou son infidélité, et surtout son infidélité, à la parole de Dieu dont les prophètes sont les organes.

Le terme *šopéṭ,* que l'on traduit par juge, a été vraisemblablement emprunté à la langue du pays de Canaan. Le prophète Amos (**2** ₃) parle d'un *šôpéṭ* chez les Moabites, l'historien Josèphe (*Contra App.,* I, 21) mentionne des suffètes

chez les Tyriens, et les premiers magistrats de Carthage, nous
le savons par les auteurs classiques, portaient le titre de suffètes.
C'étaient des magistrats temporaires et élus. Si le verbe *šâpaṭ*
peut signifier rendre la justice conformément au droit (Jg
4 4), en un certain nombre de cas, il serait plus fidèlement
rendu par « faire triompher le droit », « effectuer une délivrance »; et c'est pourquoi le mot *šopéṭ* alterne avec celui de
môšîaʿ qui signifie sauveur (Jg **3** 9, 15), tandis que le verbe
juger est remplacé par celui de sauver (Jg **3** 9, 31; **10** 1).

La signification du mot *šopéṭ,* dans le Livre des Juges, serait
donc plutôt celle de juge-sauveur. Ils sont essentiellement des
hommes choisis par Dieu et qui, en vertu d'un charisme spécial,
— « l'Esprit de Dieu les saisit », — rétablissent les droits de
Yahvé dans une situation compromise par l'infidélité du
peuple. Aidés par leur ascendant personnel, ils entraînent au
combat et à la victoire leur tribu, quelquefois seulement leur
clan, exceptionnellement un groupe de tribus (Gédéon et
surtout Débora et Baraq). Le succès assuré, ils n'exercent pas
le pouvoir sur tout Israël, mais seulement sur la région où ils
habitent. Ils ont en outre la mission de rétablir, puis de maintenir la fidélité à Yahvé, mais leur judicature ne se confond en
aucune manière avec le charisme prophétique. En fait, ils ont
été les bons ouvriers qui ont travaillé à l'édification de la nation
et qui, en assurant la victoire des Israélites sur les Cananéens,
ont assuré par le fait même la victoire de Yahvé sur Baal. Ils
ont été choisis spécialement par Dieu pour une mission de
salut. C'est l'explication qui est d'ailleurs donnée en **2** 6-**3** 6
et **10** 6-16; elle est conforme à la doctrine du Deutéronome.

Contenu et plan. Le Livre des Juges couvre
la période de l'histoire qui va
de la mort de Josué à la nais-
sance de Samuel. Les Israélites ne sont plus des nomades. Ils
s'installent dans le pays, d'abord en demi-sédentaires, puis
bientôt en agriculteurs qui abandonnent la tente pour la
demeure en pisé.

On ne peut pas dire qu'il y ait dans le Livre des Juges un plan logique et cela tient à la diversité même des sources anciennes que le rédacteur a utilisées. Certaines de ces sources étaient elles-mêmes composites. Ainsi il y avait plusieurs recensions de l'histoire de Gédéon et de celle de Jephté, le Cantique de Débora, 5, est doublé par un récit en prose, 4, qui est contaminé par Jos 11. Ces récits avaient été réunis avant l'œuvre deutéronomiste. On ignore la date à laquelle ont été insérées les courtes notices sur les « petits » Juges : Shamgar, 3 31, Tola et Yaïr, 10 1-5, Ibçan, Élôn et Abdôn, 12 8-15.

Le début de la grande section 2 6-3 6 reprend presque textuellement la fin du livre de Josué, Jos 24 28-30. C'est la preuve que les deux ouvrages se continuaient, mais cette unité est interrompue par Jg 1 1-2 5, qui présente une tradition de l'installation en Canaan parallèle à celle de Josué. Cependant cette ancienne source a reçu elle-même un cadre deutéronomiste, 1 1; 2 1-5. D'autres additions sont l'histoire d'Abimélek, 9, et les appendices, 17-21. Ces pièces représentent de très anciennes traditions, extrêmement intéressantes pour l'histoire sociale et religieuse d'Israël. Étrangères au premier travail deutéronomiste sur les Juges, elles ont été probablement reprises pour faire la liaison avec la suite de la grande œuvre deutéronomiste donnée dans Samuel : la royauté manquée d'Abimélek et l'apologue de Yotam préparent les disputes sur l'institution de la monarchie dans 1 S 8-12, tandis que les deux appendices décrivent l'anarchie cultuelle et morale d'une époque où « il n'y avait pas de roi en Israël », Jg 17 6 et 19 1. Ce sont là autant d'indices de plusieurs éditions du livre.

Voici la division actuelle :

Première Introduction. 1 1-2 5.

Tableau de l'entrée des Israélites en Canaan. La conquête du pays par les tribus est lente et pénible, l'installation précaire.

Seconde Introduction. 2 6-3 6.

Les péchés d'Israël sont la cause de ces échecs. La faute amène le malheur, c'est-à-dire le châtiment, mais le repentir fait toujours que Dieu libère et sauve son peuple.

Histoire des Juges. **3** 7-**16** 31.

Suit l'histoire de chacun des Juges en particulier. Elle a pour but d'illustrer par les événements la thèse théologique de la seconde Introduction.

1. Otniel. **3** 7-11.
2. Éhud. **3** 12-30.
3. Shamgar. **3** 31.
4. Débora et Baraq. **4** et **5**.

Récit en prose de leurs exploits (**4**). Poème sur la victoire de Débora et Baraq (**5**).

5. Gédéon et Abimélek. **6-9**.

Vocation de Gédéon. Ses campagnes contre les Madianites à l'ouest et à l'est du Jourdain. La royauté de son fils Abimélek.

6. Tola. **10** 1-2.
7. Yaïr. **10** 3-5.
8. Jephté. **10** 6-**12** 7.

Une Introduction particulière, **10** 6-16, reprend l'idée théologique de la seconde Introduction.

9. Ibçân. **12** 8-10.
10. Élôn. **12** 11-12.
11. Abdôn. **12** 13-15.
12. Samson. **13-16**.

Sa naissance. Difficultés avec les Philistins. Samson et Dalila. Vengeance et mort de Samson.

Premier appendice. Anarchie au temps des Juges. Migration des Danites. Fondation du sanctuaire de Dan. **17-18**.

Deuxième appendice. Le crime de Gibéa. Guerre exterminatrice contre Benjamin. **19-21**.

Textes et versions. A part le cantique de Débora, le texte massorétique (T.M; dans l'apparat critique : H) est en assez bon état. Les fautes sont dues surtout à des négligences de copistes. Les manuscrits qui nous ont conservé le texte des

Septante (LXX; dans l'apparat critique : G) présentent de notables divergences, à tel point que certaines éditions donnent parallèlement *in extenso* les deux recensions de l'Alexandrinus (A) et du Vaticanus (B). On pourrait reconstituer ainsi l'histoire du texte grec :

A l'origine, l'ancienne κοινή constitue le texte qui a servi de base aux travaux d'Origène.

La recension d'Origène est représentée par G (LXX) et la Syro-hexaplaire. On la retrouve dans A et quelquefois dans B. Elle tend à se rapprocher du T.M.

Vers la fin du IIIe siècle, le prêtre d'Antioche Lucien entreprit de donner une nouvelle édition. Elle est basée sur un groupe de mss. assez différents, qui semblent représenter un autre original grec et qui présentent des leçons assez indépendantes. Il est à noter que cette recension se retrouve dans le *Codex Lugdunensis* de la *Vetus Latina* (VetLat).

D'une façon générale on peut dire que la version grecque est supérieure au texte massorétique.

Les anciennes versions en copte, éthiopien, arménien, arabe, sont filles du grec et ne peuvent guère servir qu'à confirmer ou à infirmer une leçon.

Saint Jérôme a traduit un texte hébreu assez voisin du T.M., mais, pour que sa version soit plus intelligible, il a rendu l'original d'une façon assez libre.

Au point de vue de la critique textuelle une conclusion paraît donc s'imposer. Trois éléments indépendants, c'est-à-dire trois traditions indépendantes sont en présence : 1. le texte massorétique; 2. les leçons de la vieille κοινή; 3. les leçons propres à Lucien.

Pour une traduction il convient de partir du texte hébreu que l'on corrigera en cas de nécessité par les leçons du grec.

Chronologie. Pendant longtemps les exégètes se sont contentés de prendre les textes au pied de la lettre, et, pour fixer la durée de la période des Juges, d'additionner les chiffres fournis par le livre sacré en son dernier état.

Le premier livre des Rois (6 1) place le début de la construction du Temple en la quatrième année du règne de Salomon, la 480e à partir de l'Exode. Or, si l'on additionne toutes les dates fournies par le Livre des Juges, durée des oppressions et périodes de paix, on aboutit à un total de 410 ans, auxquels il faut ajouter les 40 ans du désert, les 40 ans du règne de David, les 4 ans du règne de Salomon, le temps de Josué, du grand prêtre Héli, de Samuel et de Saül : on arrive ainsi à un total de 599 ans.

Ainsi exposée, la difficulté est insoluble, même si l'on suppose que le chiffre de 40, si fréquemment employé, représente simplement la mesure proportionnelle d'une génération. Il se pourrait d'ailleurs que ce même chiffre ait une valeur mystique, mais aucun document ne nous permet de l'affirmer. Il est également impossible d'arriver à une chronologie satisfaisante si l'on fait chevaucher l'une sur l'autre les périodes de paix et d'oppression.

Pour arriver à une estimation plus juste et qui réponde aux exigences de l'histoire, il conviendra donc de s'appuyer sur d'autres données bibliques et profanes.

Les historiens de l'antiquité sont à peu près d'accord à l'heure actuelle pour situer la date de l'Exode dans la seconde moitié du XIIIe siècle, sous Ramsès II (1301-1235). La cour égyptienne a placé sa résidence dans le Delta et les constructions de la XIXe dynastie seraient une des causes de l'oppression des Israélites.

Les étapes de l'Exode et de la conquête pourraient donc s'établir de la façon suivante :

après 1250, départ de l'Égypte ;

vers 1220/1200, prise de Jéricho ;

commencement de la période des Juges vers 1200 au plus tôt.

L'archéologie palestinienne constate qu'à cette date nous sommes à la fin de la période qu'on est convenu d'appeler Bronze III, à laquelle succédera la période appelée Fer I. Les hauts plateaux de Moab ont été de nouveau peuplés, mais, en

Palestine, les sites cananéens ont été dévastés pour être réoc-
cupés par une civilisation de type inférieur qui marque nettement un recul de toutes les techniques. Les Israélites, hier
encore nomades, sont évidemment moins évolués que les
Cananéens sédentaires.

Par ailleurs la date de l'avènement de Salomon semble
devoir se placer à peu près sûrement aux environs de 970 av.
J. C., d'où 1010 pour l'avènement de David (2 S 5 5) et 1040
pour Saül, cette date marquant approximativement la fin de la
période des Juges.

Ainsi cette période s'étend sur un espace de 160 à 180 ans,
un peu plus d'un siècle et demi. Le milieu en serait marqué par
la victoire de Tanak sous Débora et Baraq, vers 1125. Comme
nous l'avons dit plus haut, la question de la chronologie des
Juges, si l'on s'en tient aux données bibliques, est pratiquement
insoluble. Il est donc nécessaire de s'appuyer uniquement
sur les dates historiques que nous connaissons d'une façon
plus certaine : l'Exode, l'avènement des rois Saül, David et
Salomon.

Ces points étant admis, il reste difficile d'établir pour le Livre
des Juges une chronologie ferme. On peut dire seulement que
la victoire de Tanak est antérieure à l'invasion madianite
(Gédéon) et à l'expansion des Philistins hors de leur territoire
propre (Samson). Il ressort surtout des informations spora-
diques répandues dans le Livre des Juges que, pendant cette
période troublée, les Israélites n'ont pas eu seulement à lutter
contre les Cananéens, premiers possesseurs du pays, et en
particulier ceux de la plaine de Yizréel, battus par Débora et
Baraq, mais contre les peuples voisins, Moabites (Éhud),
Ammonites (Jephté), Madianites (Gédéon), et contre les
Philistins nouvellement arrivés (Samson).

L'arrière-plan politique. La période des Juges commence donc après la mort de
Josué entre 1220 et 1200 et
s'étend jusqu'à l'avènement de Saül en 1040.

Au XIIIe siècle, l'empire des Hittites, dont certains clans

étaient autrefois descendus jusqu'à Hébron, n'est plus qu'un souvenir. Il a succombé sous les attaques des Moushki, un peuple venu de Thrace et apparenté aux Phrygiens.

A cette même époque se déclenche l'invasion des peuples de la mer. Ce sont des Indo-Européens occidentaux. En 1194 et 1191, des Philistins, Crétois et Lyciens, unis à des Libyens et sans doute aussi à des Sémites, parmi lesquels des Israélites, déferlent sur les frontières égyptiennes. Ramsès III parvient à les contenir, mais, après sa mort, les peuples de la mer continuent leur progression. Les Philistins s'établissent dans la Séphéla et les villes de la côte, ils descendront jusqu'au sud de la Palestine dont le nom conserve leur souvenir. C'est l'effondrement de la domination égyptienne en Asie et une lamentable décadence intérieure empêchera désormais pour de longues années les pharaons d'intervenir en Syrie. Parce que l'Égypte vit repliée sur elle-même et sans aucun dynamisme, parce que l'Assyrie n'a pas encore commencé son expansion, que les grandes monarchies sont momentanément impuissantes, Israël pourra faire son unité et créer son royaume.

Les Araméens, dans cette même période, occupent le pays qui sera plus tard la Syrie. Ils s'établissent dans la région du Nord et de l'Est, Damas, Bet-Rehob et Maaka. Les Phéniciens tiennent la côte méditerranéenne depuis le golfe d'Alexandrette jusqu'à Jaffa, tandis qu'au-dessous d'eux, les Philistins ont installé leurs comptoirs sur le littoral depuis Jaffa jusqu'à la frontière égyptienne. Les Cananéens et les Hébreux se partagent ou se disputent l'intérieur du pays.

Lorsque, venant du Sinaï, les Hébreux ont abordé le plateau de Moab, ils y ont rencontré des peuples apparentés et qui venaient seulement de s'y installer, Édomites, Moabites, Ammonites et Madianites. A l'ouest du Jourdain, la Palestine est habitée par des Cananéens, population d'origine elle aussi sémitique et qui s'était installée au cours du IIIᵉ millénaire. Avec ces peuples, il y aura parfois des alliances, ce sera le cas en particulier avec les Madianites, mais le plus souvent, parce que les clans d'Israël ont besoin de se faire une place, des luttes seront nécessaires.

Les tribus de Ruben et de Gad, une partie de la tribu de Manassé se sont installées en Transjordanie, Juda et Siméon sont au Sud, Joseph au centre dans la montagne d'Éphraïm et les tribus du Nord en Galilée; mais il n'y a pas d'unité, les clans vivent séparés les uns des autres, le cantique de Débora s'en plaint amèrement.

Canaan avec ses chars occupe les plaines et les villes principales et il lui arrive de faire peser un joug très dur sur ces envahisseurs qui cherchent des terres. De là des luttes, comme celles dont les judicatures de Débora et de Gédéon nous ont gardé le souvenir. En d'autres cas les groupements israélites ont préféré la diplomatie, des alliances se sont nouées, des mariages ont été contractés et des relations amicales se sont établies entre ces populations de même race et de même langue.

L'arrivée des Philistins a encore compliqué la situation. Courageux, entreprenants, ils pénètrent dans l'hinterland. Ils voudraient atteindre la route de Damas, couper Israël en deux, ils détruiront Silo et vaincront Saül sur les pentes du Gelboé. Dans ces luttes Israël sera bien près de sombrer.

D'où la longue durée de cette période des Juges. Elle est pour les Hébreux à la fois une période de réaction — il leur faut conquérir sur leurs voisins « l'espace vital » qui leur est nécessaire — et une période d'assimilation. Hier encore ils étaient des nomades, lentement ils deviennent des demi-sédentaires, puis des agriculteurs, ils ont besoin de se civiliser, de sortir de leur individualisme de bédouins. Ce temps leur était nécessaire pour créer l'unité nationale et préparer la monarchie.

Tout cela ne s'est réalisé que lentement, avec des avances et des reculs, dus surtout au manque d'union entre les différentes tribus. Dans le danger, chaque groupe défend son territoire. Il arrive qu'on s'unisse aux groupes voisins (**7** 23, lors de la poursuite des Madianites), ou inversement qu'une tribu puissante proteste parce qu'elle n'a pas été invitée à partager le butin (**8** 1-3 ; **12** 1-6). Le Cantique de Débora, **5**, stigmatise les tribus qui n'ont pas répondu à l'appel et, chose remarquable, Juda et Siméon ne sont même pas nommés.

Ces deux tribus vivaient au Sud, séparées par la barrière non israélite de Gézer, des villes gabaonites ainsi que de Jérusalem, et leur isolement développait les germes du schisme futur. Par contre la victoire de Tanak, en donnant aux Israélites la plaine de Yizréel, amena l'union de la Maison de Joseph et des tribus du Nord. L'unité cependant entre les différentes fractions était assurée par la participation à la même foi religieuse. Tous les Juges ont été des Yahvistes convaincus et le sanctuaire de l'arche à Silo était un centre où tous les groupes se retrouvaient. Ces luttes ont d'ailleurs forgé l'âme nationale et préparé le moment où devant le danger général des Philistins, tous, sous Samuel, le dernier des Juges (1 S **7**; **21** 11), s'uniront contre l'ennemi commun.

Israël. Transformation de son genre de vie. Lorsque les Israélites dévalaient les pentes des plateaux de Moab pour s'établir au campement de Shittim, il faut reconnaître que le séjour dans le désert ne les avait guère affinés. S'ils gardent de l'Égypte le souvenir des dures corvées, ils ont aussi le regret des marmites pleines de viande. Les années de solitude passées dans le Sinaï derrière leurs troupeaux de moutons et de chèvres leur ont donné, grâce à Moïse, une foi profonde en un Yahvé, Dieu national, et qui se révèle comme un Maître tout-puissant, mais elles ont réduit à un étiage particulièrement bas le niveau de leur civilisation. Ils sont pauvres, et ils le resteront longtemps encore. Certaines tribus actuelles comme les Ta'amerés qui errent dans les solitudes pierreuses du Désert de Juda, et qui, il y a un demi-siècle, comptaient parmi les plus misérables, peuvent donner une idée de leur dénuement.

Le cuivre et le bronze étaient depuis longtemps connus en Égypte. Canaan n'en manquait pas et ses chars étaient bardés de fer. Jusqu'aux temps de David et de Salomon, les guerriers hébreux n'ont souvent que des armes de fortune, un aiguillon à bœufs, une fronde, une hache. Sous Samuel, les Philistins se réservent les industries du métal chez les Israélites asservis.

Arrivés en Palestine, les Hébreux y seront tout d'abord des demi-sédentaires, et la vie nomade restera pour certains un idéal que les prophètes se plairont à rappeler, mais la meilleure preuve qu'ils n'y apportent pas le progrès matériel, c'est que, sur l'époque relativement brillante du Bronze III, la période dite du Fer I marque un recul, une régression de la civilisation.

L'invasion israélite avait dévasté un certain nombre d'installations cananéennes, la réoccupation des sites ruinés ne s'est faite que progressivement et les fouilles ont montré que les maisons par exemple de cette époque israélite sont plus mal bâties qu'auparavant, la poterie inférieure, la cité, la civilisation, le niveau de vie sont en décadence. C'est le milieu pastoral et agricole de Gédéon et de Saül qui s'installe, mais avec d'autant plus de peine que toutes les villes cananéennes n'ont pas été détruites, que les Cananéens de Sichem, par exemple, continuent de prospérer dans le voisinage des gens de Manassé. Cette lutte entre deux éléments de population se terminera sans doute par l'absorbtion de l'autochtone, mais ce ne sera pas sans que cette période de luttes, de difficultés n'amène, en même temps que de multiples influences réciproques, une baisse dans la civilisation. Tel a été toujours d'ailleurs le résultat du difficile passage de la vie pastorale, de la vie nomade, à la vie sédentaire, de la lente adaptation à un autre genre de vie, même s'il est supérieur.

La Terre Promise n'est le pays où coulent le lait et le miel que par comparaison avec les étendues désertiques du Sinaï. Les vastes espaces propres à la culture y sont assez rares et le Cananéen occupe les meilleures terres. Pourtant avec un coin de champ, quelques moutons, une vigne à flanc de coteau, la vie peut encore être bonne.

A cette date l'archéologie n'exhume en Palestine que de toutes petites villes avec de minuscules demeures en pisé, maisons où l'on ne vit guère. Le blé et l'orge grillés, le lait caillé, quelques olives, la galette ronde de mauvais pain où il y a autant de son que de farine, sont à la base de la nourriture quotidienne.

Sans doute le travail de la glèbe est dur et astreignant, mais à côté de la misère du désert, pour la masse, c'est presque la vie plantureuse. Bientôt la félicité idéale, ce sera pour l'Hébreu de s'asseoir tranquille sous son figuier où la vigne s'enlace, puis de boire, manger et s'abandonner au « farniente », à la joie grasse et naïve du fellah.

Mais alors il se mettra comme le Cananéen à aimer cette terre généreuse. Sans doute il n'oublie pas Yahvé, ce Dieu qui réside au cœur du désert, sur la montagne aride du Sinaï, mais parce qu'il ne convient pas de s'attirer le courroux des maîtres du terroir, de ceux qui lui donnent son froment et son huile, qui assurent la fécondité de son troupeau, ses hommages iront également aux Baals et aux Astartés.

Avec le Cananéen autochtone, il vénère les génies de la source, celui qui se manifeste dans le térébinthe verdoyant ou ceux que, depuis toujours, les populations reconnaissent au sommet d'une montagne. Il y avait en Canaan des villes anciennes au nom significatif, 'Ešta'ol, le lieu où l'on interroge l'oracle, 'Eštemoa', le lieu où la prière est exaucée, 'Eltôlad, le lieu où l'on obtient des enfants. Quelle tentation pour la femme israélite stérile d'écouter la voix de sa voisine, lorsque celle-ci lui assure qu'un pèlerinage à l'un de ces sanctuaires rendra sa prière efficace, ou que la présence d'une plaque d'Astarté est un gage assuré de fécondité. Les païens amenés plus tard de Babylonie par les Assyriens pour repeupler le royaume de Samarie agiront et penseront de même (2 R 17 24-33). Ce Baal, c'est peut-être Yahvé sous un autre nom ! Comme une tache d'huile les interférences religieuses s'étendent si facilement ! En servant Yahvé à la manière d'un Baal du pays, ne l'obligera-t-on pas à se montrer aussi généreux que le dieu des vaincus ? La femme cananéenne l'affirme. Le charme des pratiques licencieuses, les joies du culte de la nature et de la fécondité feront le reste et c'est ainsi que cette canaanisation du

Yahvisme finira par l'emporter momentanément sur l'austérité, la juste sévérité des vieilles toras de Moïse.

La vie religieuse. Ce serait une erreur profonde de voir dans cette religion populaire autre chose qu'un Yahvisme abâtardi. Le mosaïsme véritable existait encore, mais comme toujours, il n'était le partage que d'une élite. Il suffit d'ailleurs pour s'en convaincre de lire attentivement les textes.

Quelle que soit la personnalité du Juge, celui-ci n'est le libérateur que parce que Dieu l'a choisi et, si un esprit divin l'a revêtu, c'est parce qu'il est demeuré un fervent de Yahvé. Le cantique de Débora est tout entier à la gloire de Yahvé, la victoire de Tanak est son œuvre, puisque c'est pour vaincre qu'il est venu lui-même du Sinaï. Si, au dernier vers, le poète termine par une bénédiction à l'égard de ceux qui l'aiment, n'est-ce pas parce que cet amour a été plus fort que la mort et qu'il a mérité la victoire ? De lui-même Gédéon est un timide et un irrésolu. Pourtant, seul dans son village, il n'hésite pas à renverser l'autel de Baal et il consacre un autel à Yahvé-Paix. Jephté est un aventurier, mais il n'a de confiance qu'aux serments garantis par Yahvé. Quelle que soit sa douleur, il n'acceptera pas d'éluder par une substitution ingénieuse le vœu émis par lui envers Yahvé. Il n'est pas jusqu'à Samson le Nazir, qui ne soit un véritable yahviste. Sa conduite pourrait nous scandaliser, si nous ne savions qu'en ces temps lointains et dans ces pays, la morale ne suivait la foi que d'assez loin. Il meurt en adressant à Dieu cette prière touchante : « Seigneur Yahvé, souviens-toi de moi ! »

Malgré ses fautes et ses entraînements passionnels, la nation au fond reste fidèle à l'Alliance. Elle est le peuple de Yahvé, elle le sait, et, à cause de cela même, il y a des crimes qui, pour elle, seront toujours « des folies » et elle ne se résout pas à les voir se commettre sur son territoire. Faire violence à une vierge, enfreindre les lois de l'hospitalité, s'approprier les biens qui, par le *hérem* (l'anathème excommunicatoire), appartiennent à

Dieu, « cela ne se fait pas en Israël » ! Parce qu'il a pris la défense des coupables, Benjamin verra les onze tribus coalisées contre lui.

En fait et dans la réalité des choses, c'est parce que les Hébreux se sentaient le bien propre de Yahvé, c'est parce qu'ils comprenaient confusément l'urgente nécessité de maintenir l'unité religieuse qui les reliait à la fois entre eux et avec Yahvé que les Hébreux se sont toujours soulevés pour faire face à l'ennemi. A chaque sursaut national correspond un renouveau religieux. Il se peut que ces renouveaux de ferveur n'aient eu qu'une durée éphémère, ils n'en exerçaient pas moins une influence considérable sur l'ensemble de la nation, ils multipliaient le nombre des Yahvistes fervents, de ces familles où des femmes, comme la mère de Samson et celle de Samuel, maintenaient la pure tradition; ils fixaient d'immortels souvenirs. Ils devenaient ainsi les principes actifs de la victoire définitive du monothéisme.

A ces influences traditionnelles et familiales, il convient d'ajouter les influences lévitiques et prophétiques.

A l'époque des Juges le lévite est surtout le gardien et comme l'administrateur des villes saintes et des lieux de pèlerinage. Le principal lieu saint était à cette époque Silo où demeurait l'arche d'alliance, et le sacerdoce y était détenu par la branche d'Itamar des descendants d'Aaron. D'autres lévites vivaient dispersés dans les tribus. C'était des *gérîm,* c'est-à-dire des hôtes, des réfugiés, vivant de la vie du clan quoique sans affinité de sang avec lui. Leur orthodoxie n'était pas toujours très sûre, mais par leur attachement aux fonctions cultuelles, leur connaissance des vieilles toras, sources de bénédictions, leurs fonctions oraculaires, ils constituaient un facteur puissant pour la conservation de la tradition yahviste.

A côté de ces lévites, représentants authentiques du Yahvisme, il convient de signaler la présence des naziréens, des nâbis, de tous les « fils de prophètes », dont nous parle le livre de Samuel. Ce sont des hommes de Dieu qui vivent en marge de la société et qui, par le fait même, seront plus aptes à en dénoncer les compromissions. Le Yahvisme traditionnel donnait aux confréries mystiques qui les réunissaient le cadre traditionaliste et doctrinal dont ils avaient besoin et ils en furent les défenseurs. Samuel sera compté parmi ces prophètes (1 S **3** 20). Grâce à tous ces hommes de Dieu la révélation mosaïque sera préservée du naufrage.

Il ne semble pas qu'au temps des Juges, les idées religieuses aient beaucoup progressé en Israël. Selon la remarque de l'historien, la parole de Yahvé était rare en ces temps-là (1 S **3** 1), et l'on ne signale pas de fortes personnalités religieuses. Le Yahvisme suit au ralenti l'impulsion donnée par Moïse, mais soutenu par l'attachement de ses fidèles, il résiste aux forces adverses.

Il semble pourtant que la notion de Yahvé se précise et s'affirme. Jephté parle de Kemosh, bienfaiteur de Moab, comme de Yahvé bienfaiteur d'Israël, mais il sait aussi que Yahvé est de taille à faire respecter les droits de son peuple. Gédéon-Yerubbaal ne craint pas de porter un défi à Baal, ce dieu imaginaire. Si Yahvé, à la sortie d'Égypte, s'est révélé comme le maître du désert, il n'en est pas moins aussi maintenant celui qui donne aux campagnes la pluie nécessaire, et les sacrifices lui remettent une part des bienfaits qu'il a prodigués au paysan de Palestine. Il est le Dieu, non plus seulement du Sinaï, mais aussi de Canaan. Il avait promis de donner le pays et il l'a conquis. Il est le maître des biens de la terre et de toute vie humaine. Il sait punir, pardonner et récompenser, mais parce qu'il est bon comme un père, il accueille les païens de Canaan et il en fera ses fils au même titre que les plus authentiques descendants d'Abraham.

On se rappelle la formule à quatre termes qui se trouve indiquée dans la seconde Introduction **2** 6-**3** 6 : Yahvé est un Dieu saint et le Dieu des promesses. En vertu de l'Alliance Israël devra lui demeurer fidèle. S'il pèche, son péché entraînera un châtiment. Mais Dieu est miséricordieux et si le peuple se repent, Yahvé le sauvera. De là un certain nombre d'obligations.

Comme il est souligné fortement dans tout le Pentateuque et en particulier dans l'Exode au moment de la théophanie du Sinaï, Yahvé est essentiellement un Dieu saint et par conséquent redoutable. Tout homme en face de lui demeure en état d'impureté permanente, impureté rituelle, physique, s'il n'a pas respecté les anciens tabous sanctionnés par Moïse, impureté morale lorsqu'il a manqué aux exigences de la Loi.

La première et la plus grande des fautes, c'est l'idolâtrie, abandonner Yahvé pour adorer les idoles. A ceux qui sont fidèles est promise la bénédiction (**2** 17; **5** 31), mais cette rétribution apparaît surtout comme collective et temporelle. Et c'est pourquoi la punition sera d'abord la guerre, l'extermination, la servitude; de même la récompense consistera dans la paix, la prospérité, une nombreuse famille et une longue vie. La notion de responsabilité personnelle commence pourtant à apparaître (**9** 16-20).

Mais Yahvé est essentiellement miséricordieux. Ce qu'il veut, c'est d'abord le salut de son peuple, et, après un repentir effectif, il se hâte d'intervenir en sa faveur. C'est lui qui suscite un sauveur, car ses châtiments sont avant tout formateurs et purificateurs (**3** 1; **20** 19-28). Mais rares sont ceux qui le comprennent et déjà au temps des Juges on constate dans la religion d'Israël un double courant. Le premier est formé par ceux qui gardent l'esprit traditionnel du Yahvisme et une loi austère, la règle qui doit servir à juger les événements et les hommes. L'autre est celui qui emporte ceux que la religion cananéenne a contaminés, ceux qui demandent aux moyens humains d'assurer leur avenir et celui de leur peuple. Ils disparaîtront dans les tourmentes qui du VIIIe au VIe siècle av. J. C. détruiront les édifices politiques qu'ils s'étaient acharnés follement à construire.

L'évolution politique. Pour qu'un groupement humain de quelque importance puisse vivre dans le Sinaï, il faut nécessairement qu'il se disperse. Les pâturages sont maigres, les parcours difficiles, les points d'eau rares et peu abondants, les troupeaux ont leurs exigences et c'est pourquoi il est impossible de voir Israël dans le désert sous forme de tribus compactes se déplaçant en ordre et d'un seul bloc. Il existe un centre religieux, l'oasis de Cadès, et elle constitue comme un point d'attache, mais les clans ont leurs terrains de parcours au gré des nécessités de la vie quotidienne.

Ces familles portent le nom de *bayt* (maison) et elles groupent les parents qui vivent ensemble. L'ancêtre, le père, en demeure le chef, il a derrière lui ses fils et les fils de ses fils, leurs femmes et les concubines, les filles et les brus, les esclaves et les clients. A la fois chef et juge, le père représente l'autorité, celle qui ne se discute pas, car elle se revêt d'un caractère religieux. Ne préside-t-il pas aux sacrifices et aux repas sacrés, à toutes ces cérémonies cultuelles qui rendent visibles le lien sacré du sang et l'Alliance avec Yahvé ?

Plusieurs familles cependant savent qu'elles descendent d'un même ancêtre commun. Leur réunion forme le clan, *mišpâḥâh*. Il y a entre elles communauté de sang : aux habitants de Sichem, au clan de sa mère, Abimélek donnera comme argument : « Souvenez-vous que je suis de vos os et de votre sang. » Autour de Gédéon, de Saül et de David, la *mišpâḥâh* se groupe solidement et c'est par clans que les guerriers de Débora se réunissent pour la bataille.

Mais l'autorité, cette fois, n'y est plus monarchique, ce sont les anciens, les *zᵉqénîm,* qui président aux destinées du clan. Ils décident de la guerre ou de la paix, rendent la justice et gardent la coutume. Ils sont la tête d'un corps vivant, chaque Israélite en est un des membres et c'est pourquoi, dans le clan, la responsabilité est en quelque sorte collective. Tous les membres de la *mišpâḥâh* sont unis dans l'honneur comme dans le crime, dans la bénédiction comme dans dans la réprobation.

La tribu réunira un certain nombre de clans, mais elle n'apparaît dans l'histoire avec ses traits bien accusés qu'après l'établissement des Israélites en Canaan, c'est-à-dire à l'époque des Juges. Si quelques groupements comme les Qénites continuent de vivre sous la tente, les Benê-Israël s'installent sur le pays et cultivent le sol. Au groupement de parenté se substitue le groupement territorial et le clan finit par se confondre avec le village. L'endogamie sémitique y aidera puissamment. Au régime de la propriété communautaire de la tribu nomade, succède alors celui du patrimoine, de l'héritage. La terre arable se trouve engagée entre des familles de paysans et c'est cette possession terrienne qui va devenir la pierre angulaire de la société israélite. On ne vend pas l'héritage paternel et c'est un malheur irrémédiable que d'en être arraché.

Au début de l'invasion israélite, chacun s'est installé un peu comme il a pu, les frontières sont essentiellement mouvantes et, à l'intérieur du pays, les tribus n'ont pas trouvé tout de suite leur assiette définitive. Elles se déplacent volontiers au gré des événements.

D'ailleurs la situation géographique avait déjà joué son rôle et constitué des zones de concentration. Éphraïm et Benjamin occupent le massif montagneux du centre, mais ils se trouvent séparés des tribus du Nord, parce que dans la plaine de Yizréel les Cananéens sont fortement installés. Juda, tourné vers le Sud, étend ses ramifications jusque dans le Négéb, mais la contrée de Jérusalem appartient toujours aux Jébuséens, et, de l'autre côté du Jourdain, Gad, Ruben et Manassé cherchent à s'organiser sans trop s'occuper des autres. En résumé quatre provinces, de même race et de même religion, qui, à chaque épreuve, ressentent plus urgent le besoin d'union, mais dont les communications demeurent malaisées.

Il semble que la victoire de Tanak, vers 1125, en donnant aux Hébreux la plaine d'Esdrelon, a définitivement réuni la maison de Joseph aux tribus du Nord, Zabulon, Issachar et Nephtali. Sous Gédéon, ces mêmes tribus, auxquelles s'adjoindra une fraction de Manassé, forment une coalition contre les Madianites. Elles rejettent les pillards dans le désert. La barrière judéenne avec Jérusalem, Gabaon, Kiryat-Yéarim, etc., sera plus dure à briser. L'expansion des Philistins, leurs tentatives pour couper Israël en deux, leur victoire à Ében-Ézer, le sac de Silo et la prise de l'Arche vers 1050, feront comprendre à tout Israël la nécessité urgente de s'unir. L'avenir du peuple et la religion l'exigent. A cette heure décisive, le particularisme des clans et des tribus se doit de disparaître devant la gravité du danger; il importe d'arriver à la centralisation effective de tous les Israélites, c'est-à-dire à la monarchie.

Composition du Livre des Juges. La tradition talmudique attribuait la composition du Livre des Juges au prophète Samuel.

Depuis lors, une intelligence plus parfaite des procédés de composition dans l'élaboration de l'historiographie sémitique, une connaissance mieux approfondie de l'antiquité biblique, un travail minutieux de critique ont permis des conclusions sensiblement différentes de celles que l'on préconisait autrefois.

Comment peut-on à l'heure actuelle se représenter la formation du Livre des Juges ?

Il convient de voir à l'origine des traditions orales qui circulent dans les différentes tribus, traditions qui reposent sur des faits historiques réels et dont ces demi-sédentaires, que sont les Israélites au début de leur installation en Palestine, ont soigneusement conservé la mémoire. Certaines de ces traditions se rattachent aux populations du Nord, telles les histoires d'Éhud, Débora, Gédéon, tandis que d'autres, Jephté, Otniel et vraisemblablement Samuel, appartiennent aux clans du Sud. Encore que l'écriture fût assez rare en ces temps reculés, certains documents devaient être déjà rédigés, comme le cantique de Débora (5), l'apologue de Yotam (9 7-15), et par eux nous touchons aux événements eux-mêmes.

Des collecteurs de traditions ont soigneusement recueilli tous ces souvenirs qui leur venaient du passé. Non seulement ils respectaient scrupuleusement les données historiques de la narration, mais dans une large mesure la forme elle-même des vieux récits, de là parfois ces idées religieuses d'une naïveté si primitive, cette morale ou mieux cette absence de morale si choquante, que suivront tout d'un coup des conceptions morales et religieuses beaucoup plus affinées. Ils ont essayé de ne rien oublier et, dans leur moisson, on trouvera de tout, des fragments de poésie, des prières, des oracles, des malédictions, des récits archaïques et même des psaumes. Nous avons là par le fait même une garantie d'authenticité.

Au bout de quelques générations, chacun de ces récits a trouvé son aspect stéréotypé. On y recueille en quelque sorte comme le parfum et la couleur du pays, du milieu, de l'époque. Ils y ont trouvé leur forme, avec les nuances de sentiments qu'y mettaient les conteurs, quand bien même celles-ci ne correspondaient plus entièrement à la façon primitive d'envisager les choses.

Les lettrés qui ont ainsi colligé ce fonds historique du Livre des Juges sont d'inspiration deutéronomique et ils ont utilisé des sources d'origine spéciale.

Certains récits proviennent des tribus du Nord, celles qui sont devenues plus tard le royaume d'Israël. Ils nous ont conservé le précieux tableau de l'installation des tribus israélites en Canaan, **1** 2-**2** 5, l'histoire d'Éhud, le poème de Débora, quelques parties de l'histoire de Gédéon et d'Abimélek, une forme de la tradition de Jephté, l'histoire de Samson et un récit de la formation du sanctuaire des Danites.

D'autres documents proviennent du Sud. Nous leur devons les récits en prose des exploits de Débora, une version de l'histoire de Gédéon-Yerubbaal et de celle de Jephté, une autre de la migration des Danites, quelques souvenirs sur les Juges qui ont lutté contre les Ammonites et les Philistins. Mais ce qu'il importe de souligner avec force, c'est que déjà apparaît cette grande idée, à savoir que l'abandon de Yahvé entraîne pour le peuple une punition, et que par ailleurs, Yahvé demeure fidèle à son alliance. Dès qu'on revient à lui, il suscite un libérateur (**2** 6, 8-9, 13, 20, 22, 23; **3** 1, 3-4). Ces idées seront reprises et développées plus tard par l'auteur de la seconde Introduction (**2** 6-**3** 6).

A quelle date ces deux recensions des récits primitifs se

sont-elles fondues ? La chute de Samarie date de 722. Il est possible qu'à cette époque des lettrés du Nord aient trouvé un refuge en Juda (Pr 25 1) et que, par exemple sous Ézéchias (727-699), un compilateur judéen ait tenté une fusion des traditions et une première édition du Livre des Juges. Cet écrivain aurait précisé ses idées religieuses dans l'Introduction spéciale 10 6-16, et il aurait ajouté la notice sur le juge de Juda, Otniel. On remarque en effet des interférences entre la pensée de ce rédacteur et celle du prophète Osée qui date de la même époque : l'apostasie est une prostitution et l'action incompréhensible de Dieu s'explique par la notion d'épreuve (Os 2; 11 8 s). Ce n'est pas encore la belle pensée religieuse deutéronomique, mais déjà pourtant une première esquisse commence à s'en dégager.

Ce serait cette compilation que le rédacteur deutéronomiste aurait eu pour base lorsqu'il entreprit d'écrire une histoire nationale d'où se dégageraient les leçons religieuses nécessaires. Des tentatives dans ce sens avaient déjà été faites, l'auteur inspiré deutéronomiste les reprend, les développe et leur donne toute leur ampleur. Qu'il tienne à faire une place spéciale à la tribu de Juda, peu nous importe, ce qu'il veut avant tout, c'est souligner avec force une thèse théologique qui donne à l'œuvre son unité et son intérêt, ce pragmatisme à quatre termes si bien noté par le P. Lagrange : péché, châtiment, pénitence, délivrance. Les expressions peuvent être différentes, l'idée reste toujours la même. Il ne s'agit pas pour cet auteur d'écrire l'histoire à la façon moderne, il fait ce que l'on pourrait très justement appeler de l' « histoire sainte ». Il s'agit pour lui de choisir parmi les documents qui sont à sa disposition, ceux qui tendent à la démonstration de ses vues religieuses en vue de la leçon qu'il tient à donner à ses lecteurs. Il unifiera donc ses matériaux autour de son idée, mais parce qu'il est de son temps et de son pays, sa méthode de composition respectera le travail de ses prédécesseurs, la compilation qu'il a sous les yeux. Cette méthode peut dérouter nos façons de faire, elle demeure une garantie d'objectivité à l'égard des sources employées, mais les données concrètes de l'histoire se trouvent expliquées dans leurs causes profondes par les péchés d'Israël et les exigences de Yahvé.

A ce Livre des Juges ainsi constitué dans ses parties principales, des auteurs postérieurs sont venus ajouter des documents historiques qu'il convenait de ne pas laisser tomber dans l'oubli, par exemple certains détails dans l'histoire du sanctuaire de Dan. Les fautes rituelles du passé s'expliquent parce que, en ce temps-là, il n'y avait pas de roi en Israël et chacun faisait ce que bon lui semblait. L'histoire du Lévite d'Éphraïm serait d'une rédaction encore plus récente. Elle garde le souvenir d'un crime abominable qui a frappé tout Israël d'horreur. Malgré tout Yahvé reste fidèle à son peuple (**21 24**) et il ne veut pas qu'une seule des tribus d'Israël disparaisse à jamais. Nous avons là un reflet des idées qui avaient cours dans le milieu sacerdotal, au temps de l'Exil et de la Restauration.

Les notices sur les « petits juges » sont encore d'une autre main. Les formules sont quelque peu différentes et les juges se suivent sans être séparés par des rechutes dans le paganisme. Ce sont des fragments d'histoire locale, de biographies de chefs de clans qui ont courageusement combattu contre les ennemis du peuple de Dieu : il convenait de marquer la reconnaissance d'Israël à leur égard en ne les laissant pas s'effacer dans un trop lointain passé.

Au temps d'Esdras l'œuvre est terminée. Elle a reçu sa forme définitive, et la leçon religieuse qu'elle comporte s'impose avec plus d'opportunité que jamais, puisqu'il s'agit de montrer à tous ceux qui sont revenus de l'Exil comment l'apostasie est toujours suivie de châtiments et comment à aucun prix il ne faut faire alliance avec les païens qui habitent le pays ou ses alentours.

Ainsi le livre n'est pas l'œuvre d'un seul auteur, il est l'œuvre d'une tradition inspirée qui, développant la révélation, a dirigé le travail des rédacteurs successifs pour nous donner une grande et forte leçon de fidélité à Dieu.

Le livre dans la vie chrétienne. Déjà le Siracide (Si **46** 11-12) avait rappelé les Juges et leur fidélité à Yahvé, il avait demandé que leur nom soit en bénédiction. Le Livre des Juges avait enseigné aux Israélites la loi de la juste rétribution de leur conduite. La leçon était grave et elle avait porté ses fruits. Mais déconcertés sans doute par cette opposition qui se manifeste dans le livre entre la thèse théologique, l'élément solidement religieux, et la conduite particulière de certains Juges, les Pères de l'antiquité chrétienne ne se sont pas beaucoup risqués à commenter cet ouvrage.

Les *Homélies* d'Origène ne sont guère que des explications allégoriques, et l'on peut estimer qu'au point de vue exégétique il n'y a pas grand'chose à tirer des commentaires de saint Éphrem. Saint Augustin a publié, vers 419, *Quaestionum in Heptateuchum libri septem* dans lesquels 56 questions sont consacrées aux Juges. Elles signalent surtout les difficultés que soulève parfois le texte de la *Vetus Latina* qu'il avait entre les mains. Le grand Africain se rend compte qu'il lui manque trop d'éléments pour aboutir à des conclusions historiques solides et c'est là évidemment la raison pour laquelle il se réfugie parfois dans l'allégorie.

Théodoret de Cyr a écrit vers la fin de sa vie les *Quaestiones in Octateuchum*. Après avoir étudié le Pentateuque, il traite en manière de simple complément de Josué, des Juges et de Ruth. Parce qu'il était un Oriental, l'écrivain de l'École d'Antioche a peut-être mieux saisi les difficultés littéraires et historiques. Il faudrait encore citer Procope de Gaza et Isidore de Séville, mais on ne peut pas dire qu'il y ait à tirer de tous ces écrivains ecclésiastiques d'utiles leçons pour l'intelligence du Livre des Juges.

L'Église l'a peu utilisé dans sa liturgie. Il existe pourtant un texte de l'Épître aux Hébreux qu'il convient de méditer et dont la leçon demeure toujours actuelle : **11** 32-34. « Et que dirai-je encore ? Car le temps me manquerait si je racontais ce qui concerne Gédéon, Baraq, Samson, Jephté, David, ainsi que Samuel et les prophètes, ceux qui, *par la foi,* soumirent des royaumes, exercèrent la justice, obtinrent l'accomplissement des promesses, fermèrent la gueule des lions, éteignirent la violence du feu, échappèrent au tranchant du glaive, furent rendus vigoureux, de malades qu'ils étaient, montrèrent de la vaillance à la guerre, refoulèrent les invasions étrangères. »

Les païens de l'antiquité n'étaient pas sans savoir qu'un fléau, de quelque nature qu'il soit, n'est en fait qu'un châtiment de la divinité. Pour apaiser son courroux, il n'y a qu'un moyen, la mieux servir. Dans l'un des passages les plus anciens du Livre des Juges, l'histoire d'Abimélek, 9 16-20, 56-57, les Israélites n'ignorent pas que le mal trouve toujours sa punition et les rédacteurs postérieurs n'ont eu qu'à développer cette pensée. Ils démontrent avec preuves à l'appui que l'oppression est un châtiment de l'impiété, et la victoire la conséquence du retour à Dieu.

Il appartenait à l'auteur inspiré de l'Épître aux Hébreux d'aller plus au fond des choses et de montrer comment la foi, source des bonnes œuvres, est à la base de toute vie, que ce soit celle des anciens Juges qui ont cru en Yahvé et ont eu confiance en lui, ou celle des chrétiens d'aujourd'hui, 12 1-2 : « Voilà donc pourquoi nous aussi, enveloppés que nous sommes d'une si grande nuée de témoins, nous devons rejeter tout fardeau et le péché qui nous assiège et courir avec constance l'épreuve qui nous est proposée, fixant nos yeux sur *le chef de notre foi, qui la mène à la perfection,* Jésus. »

L'auteur de l'Épître aux Hébreux tire ainsi la conclusion des témoins de la foi triomphante : si dans l'ancienne Alliance eux ont lutté, souffert et triomphé, nous qui sommes dans l'arène devons combattre avec le même courage. La contemplation du Christ crucifié nourrit et fortifie la foi. C'est elle seule qui la rend capable de porter son fruit le plus éminent, la persévérance.

LE LIVRE DES JUGES

PREMIÈRE INTRODUCTION

RÉCIT SOMMAIRE DE L'INSTALLATION EN CANAAN[a]

1. [1] Après la mort de Josué, les Israélites consultèrent Yahvé[b] : « Qui de nous montera le premier contre les Cananéens pour les attaquer[c] ? » [2] Et Yahvé répondit : « Juda montera le premier ;

Installation de Juda, de Siméon, de Caleb et des Qénites.

---

a) Ce prologue historique, **1** 1-2 5, présente une vue générale de la situation en Palestine après la mort de Josué et nous montre l'installation lente et pénible des Israélites en Canaan. Ce n'est pas une conquête rapide et brillante, les tribus font la guerre isolément, quelquefois même par clans, les envahisseurs s'installent surtout dans les régions montagneuses, et ils n'arrivent pas à s'emparer des villes de la plaine ; ils n'exterminent pas les habitants, mais se les rendent seulement tributaires. Dans le Nord, les Hébreux ne constituent qu'une minorité.

Ce tableau, qui correspond à la réalité, semble être emprunté à un document ancien dont un certain nombre d'éléments se retrouvent à la fois dans Josué, les Juges, Samuel et les Rois.

Le fait que le rôle de Juda est ici mis en relief témoigne d'une vue postérieure avec une intention religieuse particulièrement soulignée. Un rôle de premier plan lui est attribué dans la conquête (vv. 1-2) et Yahvé est spécialement avec cette tribu (vv. 18-19). La conclusion de cette introduction, **2** 1-5, présente un point de vue différent.

b) Sur la façon de consulter Yahvé, cf. **8** 27 ; **17** 5 ; **18** 5, 20 ; **20** 18, 23, 27-28. Cette consultation se faisait par le moyen de l'éphod et des sorts sacrés, Urim et Tummim, voir en particulier Jos **7** 14 s ; 1 S **14** 36 s.

c) Les Cananéens désignent ici d'une façon générale les populations que les Israélites ont trouvées lors de leur arrivée en Palestine.

voici que je livre le pays entre ses mains. » ³ Alors Juda
dit à Siméon son frère*a* : « Monte avec moi dans le territoire que le sort m'a assigné, nous attaquerons le Cananéen, et, à mon tour, je ferai campagne avec toi dans ton
territoire. » Et Siméon marcha avec lui. ⁴ Juda monta donc
et Yahvé livra en leurs mains les Cananéens et les Perizzites*b*, et, à Bézeq*c*, ils défirent dix mille hommes. ⁵ Ayant
rencontré à Bézeq Adoni-Çédeq, ils lui livrèrent bataille
et défirent les Cananéens et les Perizzites. ⁶ Adoni-Çédeq
s'enfuit, mais ils le poursuivirent et ils lui coupèrent les
pouces des mains et des pieds*d*. ⁷ Adoni-Çédeq dit alors :
« Soixante-dix rois, avec les pouces des mains et des pieds
coupés, ramassaient les miettes sous ma table. Comme j'ai
fait, Dieu me rend. » On l'emmena à Jérusalem*e* et c'est là
qu'il est mort. ⁸ (Les fils de Juda attaquèrent Jérusalem, ils
la prirent, passèrent la population au fil de l'épée et mirent
le feu à la ville*f*.)

⁹ Après quoi, les fils de Juda descendirent pour attaquer
les Cananéens, qui habitaient la Montagne, le Négeb et le
Bas-Pays*g*. ¹⁰ Puis Juda marcha contre les Cananéens qui
habitaient Hébron — le nom d'Hébron était autrefois

|| Jos **15** 13-
19

---

1 5. « *Adoni-Çèdeq* » Jos **10** 1-3; « *Adoni-Bèzeq* » H.

---

a) Les tribus sont personnifiées par le nom de leur ancêtre éponyme.
Siméon finira par se fondre avec Juda.
b) Population non sémitique, antérieure aux Israélites et qui est à rattacher probablement aux Hittites. En Gn **13** 7 et Jos **17** 15 ils sont associés
aux Cananéens et sont représentés comme habitant la plaine et la forêt.
c) Aujourd'hui, Kh. Ibziq sur la route de Sichem à Scythopolis (Beisân).
Adoni-Çédeq : nom théophore qui signifie « le dieu Çédeq est mon
maître ». Cf. Jos **10** 1-27.
d) Traitement dégradant, assez commun dans l'antiquité, et qui empê-
chait un homme de pouvoir désormais saisir l'arc ou la lance.
e) Ses propres gens, car il était roi de Jérusalem. Jos **10** 1.
f) Glose, cf. Jos **15** 63; Jg **1** 21. Jérusalem ne fut prise que par David,
2 S **5** 6-9.
g) Cf. Jos **9** 1; **10** 40.

Qiryat-Arba[a] — et il battit Shéshaï, Ahimân et Talmaï.
[11] De là il marcha contre les habitants de Debir — le nom
de Debir était autrefois Qiryat-Séphèr[b]. [12] Et Caleb dit :
« Celui qui vaincra Qiryat-Séphèr et la prendra, je lui
donnerai ma fille Aksa pour femme. » [13] Celui qui la prit
fut Otniel, fils de Qenaz[c], frère cadet de Caleb, et celui-ci
lui donna sa fille Aksa pour femme. [14] Lorsqu'elle fut
arrivée près de son mari, celui-ci lui suggéra de demander
à son père un champ. Alors elle descendit de son âne, et
Caleb lui demanda : « Que veux-tu ? » [15] Elle lui répondit :
« Accorde-moi une faveur. Puisque tu m'as reléguée au
désert du Négeb, donne-moi donc une source. » Et Caleb
lui donna les sources d'en-haut et les sources d'en-bas[d].

[16] Les fils de Hobab, le Qénite[e], beau-père de Moïse,
montèrent de la ville des Palmiers avec les fils de Juda jus-

---

14. « *celui-ci lui suggéra* » *G Vulg* ; « *elle lui suggéra* » *H*. — « *un champ* »
Jos **15** 18 ; « *le champ* » *H*.

15. « *une source* » *Aq Syr Vulg* ; « *des sources* » *H*.

16. « *Les fils de Hobab le Qénite* » *G Syr hex, Nb* **10** 29 ; *Jg* **4** 11 ; « *Les fils
d'un Qénite* » *H*. — « *jusqu'au désert qui est dans le Négeb de Juda à la descente
d'Arad* » *Vers.* ; « *au désert de Juda qui est dans le Négeb d'Arad* » *H*. —
« *avec les Amalécites* » *G VetLat* ; « *avec le peuple* » *H*.

---

a) *Qiriat 'Arba* : la « ville des quatre » quartiers, ou des quatre clans qui
forment le peuple des Anaqîm et dont Hébron est la métropole, Gn **23** 2 ;
35 27 ; Jos **20** 2. *'Arba* est présenté comme un nom d'homme dans
Jos **14** 15 ; **15** 13. Le récit de la conquête d'Hébron se trouve dans
Jos **15** 12-15, cf. également Jos **10** 36-39 ; **11** 21-22 : rédactions différentes,
faites de points de vue différents.

b) Aujourd'hui Tell Beit Mirsim à une vingtaine de kilomètres au sud-
ouest d'Hébron, Jos **15** 13-19.

c) Qenaz était un clan iduméen, Gn **36** 15, 42. Les relations de clans et
de tribus sont souvent indiquées sous forme de généalogies. Cf. également
Gn **15** 19 ; Jos **14** 6, 14.

d) Ces sources se trouvent vraisemblablement dans le Séil ed-Dilbeh,
à 9 km. au sud d'Hébron.

e) Pour les Qénites, cf. Gn **4** 1 ; Ex **3** 1 ; 18 ; Nb **10** 29 ; **24** 22 ; Jg **4** 11 ;
1 S **15** 5. Ils sont apparentés aux Madianites et alliés aux Israélites, 1 S **27** 10 ;
30 29. Certains de leurs clans se sont installés plus tard au milieu des
Amalécites, Nb **24** 21-22 ; 1 S **15** 6.

qu'au désert qui est dans le Négeb de Juda à la descente d'Arad[a], et ils vinrent habiter avec les Amalécites.

[17] Puis Juda s'en alla avec Siméon son frère. Ils battirent les Cananéens qui habitaient Çephat et la vouèrent à l'anathème. C'est pourquoi on donna à la ville le nom de Horma[b]. [18] Mais Juda ne s'empara pas de Gaza et de son territoire, ni d'Éqrôn et de son territoire : [19b] il ne put chasser les habitants de la plaine, parce qu'ils avaient des chars de fer[c]. [19a] Et Yahvé fut avec Juda, qui se rendit maître de la Montagne.

[20] Comme Moïse l'avait recommandé, on donna Hébron à Caleb, lequel en chassa les trois fils d'Anaq. [21] Quant aux Jébuséens qui habitaient Jérusalem, les fils de Benjamin[d] ne les chassèrent pas, et jusqu'aujourd'hui[e] les Jébuséens ont habité Jérusalem avec les fils de Benjamin.

Installation de la maison de Joseph.

[22] A son tour la maison de Joseph monta à Béthel[f] et Yahvé fut avec elle. [23] La maison de Joseph fit faire une

---

18. « *ne s'empara pas* » *G, cf.* 19[b] *et* **3** 3; « *s'empara* » *H.*

a) Arad, aujourd'hui Tell 'Arad à environ 30 km. au sud d'Hébron. Cette « ville des Palmiers » ne doit pas être confondue avec Jéricho, nommée de même Dt **34** 3; 2 Ch **28** 15; Jg **3** 13. Il s'agit de Tâmar, aujourd'hui 'Aïn el-'Arous, dans la 'Araba au sud de la mer Morte.

b) Horma, cf. Nb **21** 1-3; anciennement Çephat, Jos **12** 14; **15** 30. Vraisemblablement Kh. Hora, à 16 km. au nord-est de Bersabée, à moins que ce ne soit Tell es-Seb'a à 5 km. au sud-est de Bersabée. Pour l'anathème, cf. *Inscription de Mésha,* l. 16 et 1 S **15** 8 s. Cf. Nb **14** 45 et surtout **21** 3, où ce dernier épisode paraît s'identifier avec le présent passage.

c) Première mention du fer dans la Bible. Cf. **4** 13. On voit comment Juda se trouve isolé du reste d'Israël, cf. Jg **5** et Dt **33** 7.

d) Jos **15** 63 porte « les fils de Juda ».

e) Cf. **1** 8, où Jérusalem fait partie du Territoire de Juda. Même après la prise de Jérusalem par David, des Jébuséens continuèrent d'y habiter, 2 S **24** 18. Jérusalem se trouvait primitivement dans le lot de Benjamin, Jos **18** 28.

f) Aujourd'hui Beitîn, Gn **28** 29, à 16 km. au nord de Jérusalem. Pour cette campagne, cf. Jos **7**; **10**; **12** 16. Mais Jos ne raconte pas la prise de

reconnaissance contre Béthel. Le nom de la ville était autre-fois Luz. [24] Les espions virent un homme qui sortait de la ville : « Indique-nous, lui dirent-ils, par où l'on peut y entrer, et nous te ferons grâce. » [25] Il leur indiqua par où pénétrer dans la ville. Ils passèrent les habitants au fil de l'épée et ils laissèrent aller l'homme avec tout son clan. [26] Cet homme s'en alla au pays des Hittites et il bâtit une ville à laquelle il donna le nom de Luz[a]. C'est le nom qu'elle porte encore aujourd'hui.

Installation des tribus septentrionales et des Édomites.

[27] Manassé ne conquit pas Bet-Shéân et ses dépendan-ces, ni Tanak et ses dépen-dances. Il ne chassa pas les habitants de Dor et des villes qui en dépendent, ni ceux de Yibleam et des villes qui en dépendent, ni ceux de Megiddo et des villes qui en dépendent, les Cananéens se maintenant dans ce pays. [28] Cependant, quand Israël fut devenu plus fort, il soumit les Cananéens à la corvée, mais il ne les chassa pas[b]. [29] Éphraïm non plus ne chassa pas les Cananéens qui habi-taient Gézèr[c], de telle sorte que les Cananéens conti-

Béthel ; inversement, Jg ne mentionne pas la prise de Aï, qui est proche de Béthel, Jos **8**.

a) Cf. Jos **6** 23. Luz, probablement Kh. Luweizié à l'ouest de Banias, au nord de la Palestine.

b) Cf. Jos **12** 21-23 ; **17** 11-13 ; ces villes ne furent réellement conquises que sous les premiers rois, 1 R **9** 15-22. Bet-Shéân, plus tard Scythopolis, aujourd'hui Beisân. Tanak, aujourd'hui Tell Ta'annak à 8 km. au sud de Megiddo. Dor, aujourd'hui El-Burdj à peu de distance au nord du village de El-Tantûra, sur la côte de la Méditerranée. Yibleam, aujourd'hui Tell Bel'amé, à 2 km. au sud de Djenîn. Megiddo est aujourd'hui Tell Mute-sellîm sur la route de Haïffa à Djenîn.

c) Cf. Jos **16** 10. D'après Jos **10** 33 ; **12** 12, le roi de Gézèr avait été vaincu par Josué. Un pharaon fit don de la ville à Salomon comme dot de sa fille, 1 R **9** 16. Aujourd'hui Tell Djézèr, sur la route de Jérusalem à Jaffa, à 34 km. de Jérusalem et dominant la plaine philistine. Ainsi les relations étaient pratiquement coupées entre les tribus du Nord et celles du Sud.

nuèrent d'y habiter avec lui. [30] Zabulon ne chassa pas les habitants de Qitrôn, ni ceux de Nahalol. Les Cananéens demeurèrent au milieu de Zabulon, mais ils furent astreints à la corvée[a]. [31] Asher ne chassa pas les habitants d'Akko, ni ceux de Sidon, de Mahaleb, d'Akzib, ... d'Aphiq, ni de Rehob[b]. [32] Les Ashérites demeurèrent donc au milieu des Cananéens qui habitaient le pays[c], car ils ne les chassèrent pas[d]. [33] Nephtali[e] ne chassa pas les habitants de Bet-Shémesh, ni ceux de Bet-Anat, et il s'établit au milieu des Cananéens qui habitaient le pays, mais les habitants de Bet-Shémesh et de Bet-Anat furent astreints par lui à la corvée. [34] Les Amorites refoulèrent dans la montagne les fils de Dan et ils ne les laissèrent pas descendre dans la plaine. [35] Les Amorites[f] se maintinrent à Har-Hérès, à Ayyalôn et à Shaalbim[g], mais lorsque la main de la maison de Joseph se fit plus lourde, ils furent soumis à la corvée.

---

31. « *Mahaleb* » Jos **19** 29 *et VetLat;* « *Ahlab* » H. *Après* « *Akzib* » H *ajoute* « *Helbah* », *probablement doublet de* « *Mahaleb* ».

a) Cf. Jos **19** 10-15; **21** 35. Qîtrôn est vraisemblablement Qattat de Jos **19** 15, aujourd'hui Tell el-Far à 1.600 m. au nord de Tell Harbadj. Nahalol, vraisemblablement Tell en-Nahal, dans la plaine au sud d'Acre.

b) Akko est Saint-Jean d'Acre, et Sidon, Saïda, cf. Jos **19** 24-31. Mahaleb et Helbah (H) sont une seule ville qui correspond à Mahaleb de Jos **19** 29 et l'actuel Kh. Mahalib à 6 km. au nord-est de Tyr. Akzib est Ez-Zib, à 14 km. au sud d'Acre. Aphiq est Tell Kurdané, aux sources du fleuve d'Acre. Rehob est un des tells de la plaine au sud d'Acre, Jos **19** 30, peut-être Tell Berwé.

c) La formule est à remarquer; ce sont les Ashérites qui s'établissent au milieu des Cananéens, sans doute d'une façon assez dépendante.

d) G porte « ils ne purent les chasser ».

e) Nephtali, cf. **19** 32-38. Bet-Shémesh, transcription de Ḥaris, car Ḥéres, le soleil, a la même signification que *Šèmèš*. Bet-Anat, Jos **19** 38, aujourd'hui El-B'ané à 19 km. à l'est d'Acre sur la route de Safed, cf. **3** 31; **5** 6. 'Anat était dans l'antiquité sémitique la déesse de l'amour et de la fécondité.

f) Les Amorites désignent ici les anciens habitants de Canaan qui occupaient la montagne de Palestine, Jos **10** 5. Ce v. devrait avoir sa place en **18** 1, là où se trouve racontée la migration des Danites.

g) Har-Hérès = Bet-Shémesh de Jos **15** 10; **21** 16, identique à Ir-Shé-

[36] Le territoire des Édomites s'étend à partir de la montée d'Aqrabbim, à la Roche, et va ensuite en montant[a].

L'Ange de Yahvé annonce des malheurs à Israël[b].

2. [1] L'Ange de Yahvé[c] monta de Gilgal[d] à Béthel auprès de la maison d'Israël, et il dit : « ...[e] et je vous ai fait monter d'Égypte et je

---

36. « *Édomites* » G Syr hex ; « *Amorites* » H texte peu sûr.
2 1. « *Béthel* » G ; « *Bôkîm* » H. — « *et je vous ai fait monter* » wâ'a'älèh conj.; « *je vous ferai monter* » 'a'älèh H.

---

mesh de Jos **19** 41, aujourd'hui Tell er-Rumeilé, à 38 km. à l'ouest de Jérusalem sur la voie ferrée de Jaffa. Ayyalôn, Jos **10** 12 ; 1 R **4** 9, aujourd'hui Yâlô, près d'Amouas. Shaalbim, Jos **19** 42 = Selbit à 4 km. 5 au nord-ouest de Yâlô.

a) Ce v. nous donne la frontière d'Édom. Cf. Jos **15** 3 ; Nb **34** 3-6 ; Ez **47** 19. La montée d'Aqrabbim est le Naqb es-Safa qui donne accès au désert de Sin et marque l'extrémité sud de la Terre Promise. La Roche (Has-Séla) est peut-être Umm el-Biyâra, un sommet de 1.600 m. d'altitude qui domine le Ouady Mousa (Pétra). Il semble cependant que Has-Séla devrait être cherché près de la frontière entre Édom et Juda. Dans ce cas, il se pourrait que Has-Séla soit près de Cadès ou peut-être la roche même de Cadès, Nb **20** 8 s ; **34** 3.

b) Ce paragraphe, d'un rédacteur postérieur, donne avec **1** 1 un cadre deutéronomique au vieux document du ch. **1**. Il introduit l'idée du châtiment divin, mais l'esprit de cette conclusion est totalement différent de celui du début. D'après l'auteur de **1** 1-36, les Israélites n'ont pu chasser les Cananéens parce que ceux-ci étaient les plus forts, vv. 28, 30, 33, 35. D'après le discours de l'ange, les accords passés avec les Cananéens sont considérés comme une défaillance, **2** 2, et les défaites israélites sont le résultat de fautes religieuses. Cf. Ex **23** 20-33 ; **34** 10-16 ; Nb **33** 55 ; Jos **23** 12-13, etc.

c) L'Ange de Yahvé, personnage mystérieux que Yahvé avait promis de donner à son peuple pour le conduire en Palestine, Gn **16** 7 ; Ex **23** 20-23 ; **33** 2 ; **34** 10 s ; Lv **26** 44. Ici un double même de Yahvé. Il se pourrait que le mot « ange » ait été ajouté à des textes primitifs plus anciens afin d'éviter des anthropomorphismes. Dans les écrits postérieurs à l'Exil l'ange de Yahvé est distingué plus nettement de Dieu qui l'envoie.

d) Gilgal, premier campement des Hébreux après le passage du Jourdain, base d'opérations pour la conquête de Canaan, et lieu sacré, Jos **4** 19 ; **5** 12 ; 1 S **13** et **15** ; **7** 16 ; **10** 8 ; **11** 15 ; **13** 4-15, réprouvé plus tard, de même que le sanctuaire de Béthel, Os **4** 15 ; **9** 15 ; **12** 11 ; Am **4** 4. Les loca-

---

Voir la note *e*, à la page suivante.

vous ai amenés dans ce pays que j'avais promis par serment à vos pères. J'avais dit : ' Je ne romprai jamais mon
alliance avec vous. ² De votre côté, vous ne conclurez
point d'alliance avec les habitants de ce pays; mais vous
détruirez leurs autels *a*. ' Or vous n'avez pas écouté ma
voix. Qu'avez-vous fait là ? ³ Eh bien, je le dis : je ne
chasserai point ces peuples devant vous. Ils seront pour
vous des oppresseurs et leurs dieux seront pour vous un
piège. » ⁴ Lorsque l'Ange de Yahvé eut adressé ces paroles
à tous les Israélites, le peuple poussa des gémissements et
se mit à pleurer. ⁵ Ils donnèrent à ce lieu le nom de Bokim *b*
et ils offrirent là des sacrifices à Yahvé *e*.

SECONDE INTRODUCTION

CONSIDÉRATIONS GÉNÉRALES
SUR LA PÉRIODE DES JUGES *d*

|| Jos **24** 28

Fin de la vie de Josué.

⁶ Alors Josué congédia le
peuple et les Israélites se rendirent chacun dans son do-

---

3. « *des oppresseurs* » leşârîm *Vers.*; « *à (vos) côtés* » leşiddîm *H.*

lisations dans la plaine qui s'étend entre Jéricho et le Jourdain ne sont pas
toutes absolument sûres.

e) Il manque ici quelques mots comme : « Je vous ai visités », cf.
Gn **50** 24; Ex **3** 16-17. — Comparer l'apparition à Josué près de Gilgal,
Jos **5** 13-15.

a) Cf. Ex **34** 10-26; Lv **26** 44 s.
b) Bokim « les pleurants », localisation inconnue, mais qui est peut-être
à rapprocher du chêne Bakût, le chêne de la Lamentation de Débora,
nourrice de Rébecca, près de Béthel, Gn **35** 8.
c) Cf. **20** 26.
d) De cette seconde introduction se dégage le thème moral de tout le
livre. D'une façon générale on peut dire : Au temps de Josué le peuple

maine pour occuper le pays. ⁷ Le peuple servit Yahvé   ‖ Jos **24** 31
pendant toute la vie de Josué et toute la vie des anciens qui
survécurent à Josué et qui avaient connu toutes les grandes
œuvres que Yahvé avait opérées en faveur d'Israël. ⁸ Josué,   ‖ Jos **24** 29-30
fils de Nûn, serviteur de Yahvé, mourut à l'âge de cent
dix ans. ⁹ On l'ensevelit dans le domaine qu'il avait reçu en
héritage à Timnat-Hérès, dans la montagne d'Éphraïm, au
nord du mont Gaash[a]. ¹⁰ Et quand cette génération à son

demeurait fidèle à Dieu (v. 7). Après sa mort les Israélites délaissèrent
Yahvé (10, 11[a], 12). Pour les punir, Dieu les livre entre les mains de leurs
ennemis (14, 16[a]). Cependant Yahvé suscite à son peuple des sauveurs,
des Juges, qui le ramènent au culte du vrai Dieu (14, 15, 18), mais au bout
d'un certain temps, le Juge disparu, le peuple retombe dans ses impié-
tés (19). De l'avis des critiques, cette théorie, plus spécifiquement religieuse,
est due à un rédacteur de l'école deutéronomiste. Celui-ci d'ailleurs l'insère
sous forme de préface ou de conclusion dans l'histoire de chacun des
Juges, **3** 7, 12-15; **4** 1 s; **6** 1 s; **8** 33; **10** 6 s, etc. Ainsi les malheurs du
peuple proviennent de ses fautes. Quant à Yahvé, fidèle à l'alliance, il est
toujours prêt à sauver son peuple lorsque celui-ci revient à lui.

Mais d'autres questions s'étaient déjà posées à propos de la conquête de
la Palestine et des revers d'Israël. Un auteur plus ancien avait déjà répondu :
C'est que Yahvé voulait préparer son peuple aux luttes de l'avenir en lui
apprenant la guerre (**2** 23[a]; **3** 2[a], 5[a], 6). Les ennemis d'Israël sont d'abord
et avant tout les Cananéens au milieu desquels il vit. Au cours des temps,
un autre penseur religieux s'est demandé : Pourquoi Yahvé n'a-t-il pas
permis que Josué chasse de la Palestine les peuples qui l'occupaient indû-
ment, Phéniciens, Philistins et Hittites ? Son idée est que, par ce moyen,
Yahvé voulait mettre à l'épreuve la fidélité religieuse d'Israël (**2** 22, 23[b];
3 1[a], 3, 4). Cet auteur se pose également la question : Pourquoi, à l'époque
des Juges, Israël n'a-t-il pu éliminer ces mêmes peuples ? Il répond (**2** 13,
20, 21) : Parce que, la génération qui a suivi Josué ayant adoré Baal et
Astarté, Yahvé a voulu la châtier (**2** 8, 10, 13). Point de vue dont on
retrouve des traces dans Jos **13** 2-6; **23** 4-13. Une autre explication se
retrouve dans Ex **23** 29; Dt **7** 22 : les peuples indigènes sont conservés
pour ne pas livrer le pays aux bêtes sauvages. Enfin Sg **12** 3-18 attribuera
les lenteurs de la conquête à la longanimité divine. Avant de détruire les
anciens habitants Dieu leur a laissé le temps de se repentir.

De tout cela une leçon se dégage, celle de la responsabilité collective des
peuples, mais aussi de la confiance qu'ils peuvent avoir en Dieu essentiellement miséricordieux.

a) Jos **19** 50; **24** 28, 31, où la possession de Josué s'appelle Timnat-
Sérah et non comme ici Timnat-Hérès. Vraisemblablement Kh. Tibna à
15 km. au nord-ouest de Béthel. Le Mont Gaash, aujourd'hui Beit Illo est
séparé de Timnat par un ravin profond. 2 S **23** 30; 1 Ch **11** 32.

tour fut réunie à ses pères, une autre génération lui succéda qui ne connaissait point Yahvé ni ce qu'il avait fait pour Israël[a].

Infidélité et châtiment des générations suivantes.	[11] Alors les enfants d'Israël firent ce qui déplaît à Yahvé[b] et ils servirent les Baals[c]. [12] Ils délaissèrent

Yahvé, le Dieu de leurs pères, qui les avait fait sortir du pays d'Égypte, et ils suivirent d'autres dieux parmi ceux des peuples d'alentour. Ils se prosternèrent devant eux, ils irritèrent Yahvé, [13] ils délaissèrent Yahvé pour servir Baal et Astarté[d]. [14] Alors la colère de Yahvé s'enflamma contre Israël. Il les abandonna à des pillards qui les dépouillèrent, il les livra aux ennemis qui les entouraient et ils ne furent pas capables de leur résister. [15] Dans toutes leurs expéditions la main de Yahvé intervenait contre eux pour leur faire du mal, comme Yahvé leur le avait dit et comme Yahvé le leur avait juré. Il les réduisit ainsi à une extrême détresse[e].

---

13. « *Astarté* » *au singulier* 'Aštôrèt *conj.*; « *les Astartés* » 'Aštârôt *H.*
15. « *Il les réduisit ainsi à une extrême détresse* » : *lire d'après* G *et* Dt **28** 52 *le causatif* wayyâṣar; « *leur détresse était extrême* » *H.*

---

a) C'est-à-dire : qui n'avait pas l'expérience que Yahvé est un Dieu puissant et qui soutient ses fidèles, mais punit leurs infidélités.
b) Litt. « firent ce qui est mal en présence de Yahvé », formule consacrée dans le livre des Juges, **3** 7, 12; **4** 1; **6** 1; **10** 6, etc., et dans le Deutéronome. Son sens précis semble être : « ce qui déplaît à Yahvé ».
c) Les dieux possesseurs du pays, **3** 7; **10** 6; 2 R **17** 24-33; Os **1** 12.
d) Le couple « Baal et Astarté » ou au pluriel « les Baals et les Astartés » est dans l'A. T. la désignation courante des divinités cananéennes. Baal « le Seigneur » est le principe divin masculin. Astarté est la déesse de l'amour et de la fécondité; elle se retrouve chez les Babyloniens sous le nom d'Ishtar, Atar chez les Araméens, etc. Son nom est quelquefois remplacé, **3** 7; 2 R **23** 4, etc., par celui d'Ashéra, autre divinité féminine de même caractère. Cf. Ex **34** 13, etc.
e) Cf. Dt **28** 15-68. — Il manque ici une phrase qui pourrait se restituer ainsi : « Ils implorèrent Yahvé. Alors... », cf. **3** 9, 15; **6** 6; **10** 10. Cf. v. 18.

**Les Juges.
Pas de conversion
durable.**

[16] Alors Yahvé leur suscita des Juges[a] et il sauva les Israélites de la main de ceux qui les pillaient. [17] Mais même leurs juges, ils ne les écoutaient pas. Ils se prostituèrent[b] à d'autres dieux, ils se prosternèrent devant eux. Bien vite ils se sont détournés du chemin qu'avaient suivi leurs pères, dociles aux commandements de Yahvé; ils ne les ont point imités. [18] Lors donc que Yahvé leur suscitait des juges, Yahvé était avec le juge et il les sauvait de la main de leurs ennemis tant que vivait le juge, car Yahvé se laissait émouvoir quand ils gémissaient sous le joug de leurs oppresseurs. [19] Mais le juge mort, ils retombaient et faisaient encore pire que leurs pères. Ils suivaient d'autres dieux, les servaient et se prosternaient devant eux, ne renonçant en rien aux pratiques et à la conduite endurcie de leurs pères[c].

**Raisons
de la permanence
des nations étrangères.**

[20] La colère de Yahvé s'enflamma alors contre Israël et il dit : « Puisque ce peuple a transgressé l'alliance que j'avais prescrite à ses pères et qu'il n'a pas écouté ma voix, [21] désormais je ne chasserai plus devant lui aucune des nations que Josué a laissé subsister quand il est mort », [22] afin de mettre par elles Israël à l'épreuve, pour voir s'il suivra ou non les chemins de

---

18. *Après « de leurs oppresseurs » H ajoute « et de ceux qui les pressuraient ».
Ce synonyme est un mot araméen qui indique une glose postérieure.*
22. *« les chemins » conj.; « le chemin » H.*

a) Sur le sens de ce mot, cf. Introduction, p. 9.
b) Litt. « ils forniquèrent »; cf. **8** 27, métaphore habituelle pour désigner le culte des idoles. Os **1** 2, etc.; Is **1** 21; Ez **16** 16; Dt **31** 16.
c) Cf. **4** 1; **8** 33, etc.

Yahvé comme les ont suivis ses pères. [23] C'est pourquoi
Yahvé a laissé subsister ces nations, il ne s'est point hâté
de les chasser et ne les a pas livrées aux mains de Josué.

**Peuples
qui ont subsisté.**

3. [1] Voici les nations que
Yahvé[a] a laissé subsister afin
de mettre par elles à l'épreuve
tous les enfants d'Israël qui
n'avaient connu aucune des guerres de Canaan [2] (ce fut
uniquement dans l'intérêt des générations des enfants
d'Israël, pour leur apprendre l'art de la guerre; à ceux du
moins qui n'avaient pas connu les guerres d'autrefois) :

|| Jos **13** 3-6   [3] les cinq princes des Philistins et tous les Cananéens, les
Sidoniens et les Hittites qui habitaient la chaîne du Liban,
depuis la montagne de Baal-Hermôn jusqu'à l'Entrée de
Hamat[b]. [4] Ils servirent à éprouver Israël pour voir s'ils
garderaient les commandements que Yahvé avait donnés à
leurs pères par le ministère de Moïse. [5] Et les Israélites
habitèrent au milieu des Cananéens, des Hittites, des
Amorites, des Perizzites, des Hivvites et des Jébuséens[c],
[6] ils épousèrent leurs filles, ils donnèrent leurs propres
filles à leurs fils et ils servirent leurs dieux.

---

3 2. « *dans l'intérêt des générations* » *Vers.*; « *dans l'intérêt de l'enseignement
des générations* » *H.*

3. « *Hittites* » *d'après Jos* **11** 3 *et* 2 S **24** 6; « *Hivvites* » *H.*

a) Au lieu de « Yahvé » (H), il faudrait peut-être lire « Josué » d'après
G Syr hex et VetLat; **3** 1 correspondrait ainsi à **2** 21.

b) Canaan désigne les habitants des plaines qui n'étaient pas sous la
domination des Philistins, cf. 4; Jos **13** 3; Nb **13** 29, par opposition aux
Sidoniens qui habitaient la côte. — « Baal-Hermôn », cf. 1 Ch **5** 23, à moins
qu'il ne faille lire, d'après Jos **13** 5 : « depuis Baal Gad au pied du mont
Hermon jusqu'à l'Entrée de Hamat ». — « Les Hittites » : leur empire
s'étendait au Nord, mais l'auteur sacré ne tient compte que de la partie
qu'ils occupent dans la Terre Promise. Cf. Jos **11** 3; 2 S **24** 6. Une énumération semblable se lit en Jos **13** 3-6.

c) Les Jébuséens sont un clan d'origine probablement amorite qui a
occupé la montagne et Jérusalem, Nb **13** 29; Jos **10** 5; Ez **16** 3. Ils sont
cités pour la dernière fois en Esd **9** 6.

HISTOIRE ÉPISODIQUE DES JUGES

I. OTNIEL[a]

⁷ Les Israélites firent ce qui déplaît à Yahvé[b]. Ils oublièrent Yahvé leur Dieu pour servir les Baals et les Ashéras[c]. ⁸ Alors la colère de Yahvé s'enflamma contre Israël, il les livra à Kushân-Rishéatayim[d], roi d'Édom, et les Israélites furent asservis à Kushân-Rishéatayim pendant huit ans.

⁹ Les Israélites crièrent vers Yahvé et Yahvé suscita aux

---

7. « *les Ashéras* ». *Quelques Mss et Vers. portent* « *les Astartés* ».

8. « *Édom* » *conj.*; « *Aram* » *H : confusion fréquente dans l'hébreu ancien entre dalet et resh. Cf.* 2 S **8** 12-14; 2 R **16** 6; 2 Ch **26** 2, *où* « *Aram* » *et* « *Araméens* » *ont remplacé* « *Édom* » *et* « *Édomites* ».

a) L'idée générale du livre va maintenant être démontrée par des exemples historiques. C'est l'application à des faits particuliers de la loi religieuse énoncée **2** 10-19. — Le rédacteur deutéronomiste avait dans ses traditions ou dans ses documents le cas d'Otniel. Il l'a inséré en tête de la série des Juges, peut-être parce qu'il s'agissait de la tribu de Juda qui l'intéresse plus particulièrement.

b) Formule deutéronomiste. Il convient cependant de remarquer que seules les tribus de Juda et de Siméon vont être menacées, puisqu'il s'agit d'incursions édomites dans le sud de la Palestine.

c) Ashéra, synonyme d'Astarté, **2** 13, désigne à la fois la déesse, 1 R **15** 13; **18** 19; 2 R **21** 7; **23** 4, 7, et le pieu qui la symbolise et qui se dresse à côté de l'autel, Dt **16** 21.

d) Ce nom signifie le « Kushite à la double méchanceté ». Il se pourrait que nous ayons là un nom ancien, mais dont la forme aurait été modifiée en manière de dérision. Cf. Gn **14** 2; Jr **50** 21; etc. Dans Ha **3** 7, Kushân est une tribu de Madiân; Gn **36** 34 suggère une attaque des Témanites, sous la conduite de Husham, roi d'Édom, contre Yobab, le clan qénizite d'Otniel. Par ailleurs la terminaison *ân* est celle des clans qui se rattachent à Abraham par Qetura. Ce sont des clans sémites qui nomadisent sur les confins du désert, à l'est et au sud-est, et apparentés aux clans déjà devenus sédentaires en Canaan et sur les plateaux de Moab. Il s'agirait donc ici d'une incursion des voisins édomites dans les possessions judéennes du Sud. Ainsi se justifie la conjecture « Édom », au lieu de « Aram » du T. M.

Israélites un sauveur qui les libéra, Otniel, fils de Qenaz et frère cadet de Caleb[a]. 10 L'esprit de Yahvé fut sur lui[b]; il devint juge d'Israël et se mit en campagne. Yahvé livra entre ses mains Kushân-Rishéatayim, roi d'Édom, et il triompha de Kushân-Rishéatayim. 11 Le pays fut alors en repos pendant quarante ans[c].

II. ÉHUD[d]

Après la mort d'Otniel, fils de Qenaz, 12 les Israélites recommencèrent à faire ce qui déplaît à Yahvé et Yahvé

10. « *Édom* » *conj.*; « *Aram* » H.

a) Application de **2** 16. On ne sait pas au juste le degré de parenté qui unit Otniel et Caleb : pour cette question, cf. Gn **36** 15, 42; 1 Ch **2** 42; 1 S **27** 10; **30** 29; 1 Ch **2** 9, 25, 42, 49; Nb **34** 19. Dans **1** 13 s l'histoire d'Otniel est suivie de la campagne des Qénites et de la prise de Çephat-Horma (vv. 16-17), puis au v. 36 de l'indication des frontières d'Édom. Cet ensemble de faits laisse supposer qu'il s'agit bien d'une campagne d'Otniel contre les Édomites.

b) Par cette prise de possession de « l'esprit de Yahvé » s'exprime le caractère charismatique des Juges. Cf. **6** 34; **11** 29; **13** 25; **14** 6, 19; cf. 1 S **11** 6; **16** 13. Ils sont des « inspirés » comme les prophètes, pour lesquels on emploie la même expression, Nb **24** 2; 1 S **10** 6, 10; **19** 20, 23; Is **42** 1; **59** 21.

c) Formule stéréotypée qui se retrouve **3** 30; **5** 31; **7** 28; Jos **11** 23; **14** 15.

d) La leçon religieuse est tirée aux vv. 11[b], 12, 14-15[a], 30. Pour toute cette histoire, cf. 2 S **4** 5-8. Le fond du récit repose sur le fait d'une invasion de Moabites à l'ouest du Jourdain, dans la région de Jéricho et la montagne d'Éphraïm. Il existait de ce récit deux versions très voisines : dans l'une, Églôn réside à l'est de Gilgal, au delà du Jourdain, en pays moabite, vv. 19 et 26. Dans l'autre v. 28, la scène se passe à l'ouest du Jourdain, probablement à Jéricho. La ville n'existait plus, puisqu'elle avait été détruite par Josué, **6** 21-26, et qu'elle n'a été rebâtie que sous Achab, 1 R **16** 34. Il s'agit vraisemblablement de l'oasis de Jéricho, 2 S **10** 5, où Églôn avait une habitation. — L'acte d'Éhud ne peut être jugé d'après nos idées modernes. Au point de vue de l'auteur sacré il n'est pas répréhensible. Ce juge n'est que l'instrument de Yahvé libérateur et cela lui suffit.

donna à Églôn, roi de Moab[a], pouvoir sur Israël, parce
qu'ils faisaient ce qui déplaît à Yahvé. [13] Églôn s'adjoignit
les fils d'Ammon[b] et Amaleq[c], marcha contre Israël, le
battit et s'empara de la ville des Palmiers[d]. [14] Les Israélites
furent asservis à Églôn, roi de Moab, pendant dix-huit ans.

[15] Alors les Israélites crièrent vers Yahvé et Yahvé leur
suscita un libérateur[e], Éhud, fils de Géra[f], benjaminite,
qui était gaucher[g]. Les Israélites le chargèrent de porter le
tribut à Églôn, roi de Moab. [16] Éhud se fit un poignard à
double tranchant, long d'une coudée[h], et il le ceignit sous
son vêtement sur sa hanche droite. [17] Il offrit donc le tribut
à Églôn, roi de Moab. Cet Églôn était très gros. [18] Une
fois le tribut offert, Éhud repartit avec les gens[i] qui
l'avaient apporté, [19] mais lui-même, arrivé aux Idoles qui
sont près de Gilgal[j], rebroussa chemin et vint dire : « J'ai

---

13. « *s'empara* » G *Vulg* ; « *s'emparèrent* » H.

---

a) Les Moabites occupaient les hauteurs et le plateau entre le Jourdain
et la mer Morte à l'ouest et le désert Syro-Arabe à l'est.

b) Les Ammonites habitaient la contrée qu'on appelle aujourd'hui le
Belqâ, entre l'Arnon et le Yabboq, et dont la capitale actuelle est Ammân.

c) Amaleq demeurait au sud de Juda entre Bersabée et Cadès. Les Amalécites formaient souvent des bandes de razzieurs professionnels. A cette
époque ils ont été pour Israël les ennemis héréditaires, **6** 3, 33; **7** 12, etc.

d) C'est ici Jéricho, cf. **1** 16 et la note. Comp. ce passage ainsi que
2 S **10** 5, avec Jos **6** 21-26 et 1 R **16** 34. L'oasis de Jéricho appartenait aux
Benjaminites, v. 15.

e) La libération d'Israël suit le repentir et la pénitence.

f) C'est-à-dire du clan de Géra, de la tribu de Benjamin, Gn **46** 21;
2 S **16** 5; 1 Ch **7** 10; **8** 4-6.

g) « Gaucher », vraisemblablement ambidextre, cf. **20** 16; 1 Ch **12** 2.

h) Un *gomed,* probablement la coudée courte de cinq palmes (o m. 375)
qui va du coude à la première articulation des doigts. Elle correspond à
la *pugmê* des Grecs.

i) Le tribut, payé en nature, exigeait de nombreux porteurs.

j) Gilgal, à l'extrémité orientale du territoire de Jéricho. Aujourd'hui
Djildjulieh. Cf. Jos **4** 19-20; **5** 9; Os **4** 15; **9** 15; Am **4** 4. Kh. Éthelé à 5 km.
de Jéricho et du Jourdain. Il y avait là, comme le nom l'indique, un cercle
de pierres levées. *Pesîlîm* (« Idoles ») signifie pierres taillées, qu'il s'agisse
d'idoles grossièrement taillées ou plus probablement des pierres de l'ancien

un message secret pour toi, ô Roi ! » Le roi répondit :
« Silence ! » et tous ceux qui se trouvaient auprès de lui
sortirent. ²⁰ Éhud entra donc. Le roi était assis dans la
chambre haute où l'on prend le frais[a]; il était seul. Éhud
lui dit : « C'est une parole de Dieu que j'ai pour toi, ô
Roi ! » Et celui-ci se leva aussitôt de son siège[b]. ²¹ Alors
Éhud, de la main gauche, prit le poignard qu'il portait
sur sa hanche droite et l'enfonça dans le ventre du roi.
²² La poignée même entra avec la lame et la graisse se
referma sur la lame, car Éhud laissa l'arme dans le ventre;
puis il sortit par la fenêtre. ²³ Éhud sortit par le portique;
il avait fermé derrière lui les portes de la chambre haute et
poussé le verrou[c].

²⁴ Quand il fut sorti, les serviteurs revinrent et ils regar-
dèrent : les portes de la chambre haute étaient fermées au

---

20. *« ô Roi » G ; omis par H.*

22. *« puis il sortit par la fenêtre » traduction conjecturale; la fin du v. est omis
dans G et semble incertaine ; H porte : « puis il sortit dans (ou : par) le
paršedôn », mot inconnu sous sa forme actuelle. Certains traduisent : « et (la
lame) sortit par derrière » : paršedônâh serait un substantif féminin, dérivé de
pèrèš « excrément ». On peut rapprocher ce même mot de l'assyrien parašilinnu,
« trou, ouverture », ce qui justifierait la traduction proposée : « puis il sortit
par la fenêtre. ²³ Éhud s'en alla ensuite par le portique » (hypothèse du
P. Lagrange).*

---

cromlech couvertes de signes idolâtriques. Il faut conclure de ce v. que
la résidence d'Églôn se trouvait à l'est du Jourdain en pays moabite; c'est
pourquoi, le meurtre accompli, Éhud passe de nouveau devant Gilgal
pour gagner à l'ouest les montagnes d'Éphraïm. Cf. v. 28.

a) Sur la terrasse de beaucoup de maisons orientales se trouve une
chambre haute avec des fenêtres ouvertes aux quatre coins de l'horizon et
où l'on jouit de la brise du soir.

b) Les Moabites respectent Yahvé. D'une façon générale les peuples
de l'antiquité reconnaissent les dieux de leurs voisins. Cf. 2 R **1** 2; **8** 7-10.

c) La scène est facile à comprendre malgré les difficultés du texte. Éhud
a tué Églôn; de l'intérieur il ferme la porte, sort par la fenêtre, descend
l'escalier extérieur qui dessert la terrasse, franchit le Jourdain, passe à côté
de Gilgal et gagne la montagne d'Éphraïm.

verrou. Ils se dirent : « Sans doute il se couvre les pieds [a]
dans le réduit de la chambre fraîche. » [25] Ils attendirent
jusqu'à ne savoir plus que penser, car il n'ouvrait toujours
pas les portes de la chambre haute. Ils prirent enfin la clef
et ouvrirent : leur maître gisait à terre, mort.

[26] Pendant qu'ils attendaient, Éhud s'était enfui. Il
dépassa les Idoles et se mit en sûreté à Has-Séïra [b]. [27] Sitôt
arrivé au pays d'Israël, il sonna du cor dans la montagne
d'Éphraïm et les Israélites descendirent avec lui de la
montagne, lui à leur tête. [28] Et il leur dit : « Suivez-moi,
car Yahvé a livré votre ennemi, Moab, entre vos mains. »
Ils le suivirent donc, coupèrent à Moab le passage des
gués du Jourdain [c] et ne laissèrent passer personne. [29] Ils
battirent les gens de Moab en ce temps-là, au nombre
d'environ dix mille hommes, tous robustes et vaillants, et
pas un n'échappa. [30] En ce jour-là Moab fut abaissé sous la
main d'Israël et le pays fut en repos pendant quatre-
vingts ans [d].

---

27. « *au pays d'Israël* » *G ; omis par H.*
28. « *Suivez-moi* », *litt.* « *descendez derrière moi* », redû 'aḥăray *G ;* « *Pour-
suivez-moi* » ridᵉpû 'aḥăray *H.*

---

a) « Se couvrir les pieds », euphémisme pour : satisfaire un besoin
naturel. Cf. 1 S **24** 6.
b) « Has-Séïra », avec l'article. Il s'agit d'une région plutôt que d'une
localité, c'est-à-dire du mont Séïr et en particulier du Tôr Umm Sira, sur
un sentier qui conduit du mont de la Quarantaine vers Déir-Diwân à
l'ouest.
c) Il y en avait trois sur le territoire de Jéricho.
d) Formule rédactionnelle, cf. **4** 23; **11** 33. Les Moabites ne sont pas
vaincus, mais seulement abaissés et humiliés.

III. Shamgar [a]

31 Après lui il y eut Shamgar, fils d'Anat [b]. Il défit les Philistins au nombre de six cents hommes avec un aiguillon à bœufs [c], et lui aussi sauva Israël.

IV. Débora et Baraq [d]

Israël opprimé par les Cananéens.

4. **1** Après la mort d'Éhud les Israélites recommencèrent à faire ce qui déplaît à Yahvé [e], **2** et Yahvé les livra à Yabîn, roi de Canaan qui régnait à Haçor [f]. Le chef

---

a) Certains mss grecs LXX[N], Syr hex, version slave, insèrent cette notice après **16** 31, ce qui prouve que sa place n'était pas fixée par une tradition ferme. D'après **4** 1, l'histoire de Débora suivait immédiatement celle d'Éhud. L'absence d'indications chronologiques (la mention des Philistins suggère plutôt la fin de la période des Juges) indique que la présente notice a été insérée plus tard. « Après lui » n'est qu'une formule rédactionnelle.

b) On retrouve un Shamgar fils d'Anat au cantique de Débora, **5** 6 : ce n'est pas, semble-t-il, un Israélite mais plutôt un tyran cananéen. Aucun des deux noms n'est israélite. Shamgar se retrouve dans le domaine sémitique-est. Anat est une déesse du monde sémitique. Le Shamgar dont il est question ici n'exerce pas la judicature; on ne mentionne de lui qu'un exploit particulier. Peut-être faut-il l'identifier avec Shammah, fils de Agè, ou Éla, 2 S **23** 11. Nous aurions là l'une des plus anciennes traditions du temps de David, que le rédacteur deutéronomiste aurait recueillie pour faire un juge de son héros, comme il l'a fait d'Otniel.

c) Cf. 1 S **13** 19, où les Israélites sont privés d'armes.

d) Les princes cananéens se sont coalisés pour lutter contre l'envahissement progressif de la Palestine du Nord par les Hébreux, dont les tribus vont tenter un premier effort pour réaliser leur unité. Le rédacteur deutéronomiste utilise des traditions et des documents qui lui viennent de l'école élohiste : un récit en prose, **4**, puis un poème, **5**. Le poème est certainement plus ancien. On le considère en général comme contemporain des événements et il fait mieux comprendre la situation; par contre, le ch. **4** montre un plus grand souci religieux.

e) La formule est de **3** 12, d'après le thème général **2** 18 s.

f) Canaan n'ayant jamais eu d'unité politique, il faut comprendre « roi

de son armée était Sisera[a], qui habitait à Haroshèt-hag-
Goyim[b].

[3] Alors les Israélites poussèrent des gémissements vers
Yahvé. Car Yabîn avait neuf cents chars bardés de
fer[c] et il avait opprimé durement les Israélites pendant
vingt ans.

Débora.   [4] En ce temps-là Débora,
une prophétesse[d], femme de
Lappidot, jugeait Israël. [5] Elle
siégeait sous le palmier[e] de Débora entre Rama et Béthel
dans la montagne d'Éphraïm et les Israélites allaient
vers elle pour régler leurs litiges. [6] Elle envoya chercher
Baraq, fils d'Abinoam de Qédesh en Nephtali[f] : « Voici,

---

4 5. « *palmier* » *tâmâr conj.*; H *porte* tomèr *qui, d'après* Is **20** 5, *signifierait*
« *pilier* » *ou* « *épouvantail* ».

---

en Canaan » et vraisemblablement suzerain de la plaine d'Esdrelon. La
présence de ce roi dans le présent ch. soulève de nombreuses difficultés.
Dans Jos **11** 1, 7, 10, un Yabîn, roi de Haçor, est vaincu par Josué et sa
ville détruite. — Haçor est aujourd'hui Tell el-Qedah, près du Ouadi
Waqqas au pied des monts de Nephtali. Jos **11** 1; **12** 19; **19** 36; 1 S **12** 9;
1 R **9** 15; 2 R **15** 29; Jr **49** 28-33; 1 M **11** 63-73.

a) Nom d'origine hittite, cf. Esd **2** 53; Ne **7** 55. C'est Sisera qui joue le
rôle de l'ennemi principal dans **4** et **5**.

b) Haroshèt « hag-Goyim », ou « des nations païennes », aujourd'hui
Tell 'Amor, près du Qishôn, à 13 km. de la voie ferrée de Haïffa.

c) Cf. **3** 9. Pour les chars, cf. **1** 19[b].

d) « Prophétesse », comme Miryam, sœur de Moïse, Ex **15** 20; Hulda,
2 R **22** 14; cf. 1 S **9** 9; **10** 5. Dans Jg **6** 7-10; 1 S **2** 27, on cite deux prophètes anonymes. Bien qu'en ces jours la parole de Dieu ait été rare
(1 S **3** 1), Jr **7** 25 assure pourtant qu'à toutes les époques graves de son
histoire, Yahvé a envoyé à son peuple des prophètes pour l'avertir. Débora
rend la justice en quelque sorte au nom de Yahvé. Cf. Ex **22** 8.

e) L'hébreu a ponctué *tomèr,* au lieu de *tâmâr,* peut-être ponctuation
péjorative qui veut marquer une défaveur, le palmier ayant pu être plus
tard l'objet d'un culte idolâtrique. Rama = Er-Râm au km. 9 de la route
nord de Jérusalem. Béthel = Beitîn. Ces deux villes ne sont séparées que
par deux heures de marche.

f) Baraq avait eu à souffrir des Cananéens, cf. **5** 12. Qédesh en Nephtali,
aujourd'hui Qedeis, cf. Jos **19** 37; 2 R **15** 29, au nord-ouest du lac Houlé,
à 18 km. au nord de Safed, 12 km. nord-nord-ouest de Haçor.

lui dit-elle, ce qu'ordonne Yahvé, Dieu d'Israël : ' Va, marche vers le mont Tabor[a] et prends avec toi dix mille hommes des fils de Nephtali et des fils de Zabulon. [7] J'attirerai vers toi au torrent du Qishôn[b] Sisera, le chef de l'armée de Yabîn, avec ses chars et ses troupes, et je le livrerai entre tes mains '. » [8] Baraq lui répondit : « Si tu viens avec moi, j'irai, mais si tu ne viens pas avec moi, je n'irai pas, car je ne sais pas en quel jour l'Ange de Yahvé me donnera le succès[c]. » — [9] « J'irai donc avec toi, lui dit-elle; seulement, dans la voie où tu marches, l'honneur ne sera pas pour toi, car c'est entre les mains d'une femme que Yahvé livrera Sisera. » Alors Débora se leva et, avec Baraq, elle se rendit à Qédesh, [10] d'où Baraq convoqua Zabulon et Nephtali. Dix mille hommes le suivirent et Débora monta avec lui.

Héber le Qénite.   [11] Héber, le Qénite, avait essaimé de la tribu de Qayîn[d] et du clan des fils de Hobab,

---

8. « *car je ne sais pas ... le succès* » G ; *omis par* H. *Cf. v.* 14.
9. « *l'honneur ne sera pas pour toi* » *conj.*; « *ton honneur ne sera pas* » H.
10. « *d'où* » (*c'est-à-dire* « *au départ de Qédesh* ») G *qui a lu* miqqedèsh.

---

a) Aujourd'hui le Djebel et-Tôr qui domine la plaine de Yizréel, vraisemblablement un lieu sacré, Dt **33** 19; Os **5** 1. C'est là que se joignent les territoires de Nephtali, Zabulon et Issachar. Jos **19** 12, 22, 34. Lieu traditionnel de la Transfiguration.

b) Le Nahr el-Muqatta qui se jette dans la Méditerranée au nord du mont Carmel.

c) D'une façon générale, dans l'antiquité sémitique ou classique, on ne livre pas combat sans avoir auparavant consulté la divinité par les sorts, les prophètes ou les songes, 1 S **14** 9, 37; **23** 2, 4, 9; **28** 6, etc. Ici Baraq veut pouvoir consulter Yahvé (cf. Ex **33** 7, etc.) par Débora au cours de la campagne.

d) Ce Qayîn serait (Nb **10** 29; **24** 22; Ex **18**; 1 S **15** 6) un ancêtre des Qénites, nomades du Sud de Juda. Un des clans était monté dans le Nord de la Palestine, Gn **4** 2-16; Jg **1** 18. Dans le récit de la victoire remportée par Thoutmès III en 1479, le Ouadi Ledjdjoun, tributaire du Qishôn (les « eaux de Megiddo » de **5** 19), est appelé « la vallée de *Qyn* ».

beau-père de Moïse[a]; il avait planté sa tente près du Chêne de Çaanannim[b], non loin de Qédesh.

Défaite de Sisera.

[12] Apprenant que Baraq, fils d'Abinoam, campait sur le mont Tabor, [13] Sisera convoqua tous ses chars, neuf cents chars bardés de fer, et toutes les troupes qu'il avait. Il les fit venir de Haroshèt-hag-Goyim au torrent du Qishôn. [14] Débora dit à Baraq : « Lève-toi, car voici le jour où Yahvé a livré Sisera entre tes mains[c]. Oui ! Yahvé marche devant toi. » Et Baraq descendit du mont Tabor avec dix mille hommes derrière lui. [15] Yahvé frappa de panique Sisera, tous ses chars et toute son armée devant Baraq[d]. Sisera, descendant de son char, s'enfuit à pied. [16] Baraq poursuivit les chars et l'armée jusqu'à Haroshèt-hag-Goyim. Toute l'armée de Sisera tomba sous le tranchant de l'épée et pas un homme n'échappa.

Mort de Sisera.

[17] Sisera cependant s'enfuyait à pied dans la direction de la tente de Yaël, femme de Héber le Qénite, car la paix régnait entre Yabîn, roi de Haçor, et la maison de Héber le Qénite. [18] Yaël, sortant au-devant de Sisera, lui dit : « Arrête-toi, Monseigneur,

---

11. « *de Çaanannim* » bᵉṣaʿănannîm *Qer ;* bᵉṣaʿănîm *H Ket cf. Jos* **19** 33.
15. *Après « son armée »* H *ajoute « sous le tranchant de l'épée », probablement doublet du v.* 16.

---

a) « et du clan ... » : glose d'après **1** 16.
b) Çaanannim, Jos **19** 33, aujourd'hui Khan Ledjdjoun. Sa position est d'ailleurs déterminée par la proximité de Qédesh, Tell Abou Qedeis au sud-est sur le bord de la plaine de Megiddo.
c) C'est la réponse au v. 8.
d) Cf. Ex **14** 24.

arrête-toi chez moi. Ne crains rien ! » Il s'arrêta chez elle
sous la tente et elle le recouvrit d'un tapis[a]. [19] Il lui dit :
« Donne-moi à boire un peu d'eau, je te prie, car j'ai soif. »
Elle ouvrit l'outre où était le lait[b], le fit boire et le recouvrit de nouveau. [20] « Tiens-toi à l'entrée de la tente, lui
dit-il encore, et si quelqu'un vient, t'interroge et dit : ' Y
a-t-il un homme ici ? ' tu répondras : ' Non '. » [21] Mais
Yaël, femme de Héber, prit un piquet de la tente[c], saisit un
marteau dans sa main et, s'approchant de lui doucement,
elle lui enfonça dans la tempe le piquet, qui se planta en
terre. Il dormait profondément, épuisé de fatigue ; c'est
ainsi qu'il mourut[d]. [22] Et voici que Baraq survint, poursuivant Sisera. Yaël sortit au-devant de lui : « Viens, lui
dit-elle, et je te ferai voir l'homme que tu cherches. »
Il entra chez elle : Sisera gisait mort, le piquet dans la
tempe.

La délivrance d'Israël. [23] Dieu humilia donc en ce
jour Yabîn, roi de Canaan,
devant les Israélites. [24] La
main des Israélites s'appesantit de plus en plus durement sur Yabîn, roi de Canaan, au point de consommer
sa perte.

---

a) Chaque épouse a sa tente particulière, Gn **31** 33. Encore aujourd'hui
les nomades étendent un tapis sur le sol pour se coucher ; on le roule
pendant le jour dans un coin de la tente.

b) Le *leben* des nomades de Palestine et de Transjordanie.

c) Ce sont les femmes qui dressent la tente et enfoncent les piquets qui
la retiennent.

d) « Il dormait... » H : texte incertain. G[A] porte : « Il sursauta entre
ses genoux (de Yaël : ἀπεσκάφισεν ἀνὰ μέσον τῶν γονάτων αὐτῆς), retomba
sans force et mourut. »

LE CANTIQUE DE DÉBORA ET DE BARAQ[a]

5. [1] En ce jour-là, Débora et Baraq, fils d'Abinoam, chantèrent, disant :

[2] Puisqu'en Israël des guerriers ont dénoué leur cheve-
puisque le peuple s'est offert librement,   [lure[b],
bénissez Yahvé !

[3] Écoutez, rois ! Prêtez l'oreille, princes !
Moi, pour Yahvé, moi je chanterai.
Je célébrerai Yahvé, Dieu d'Israël.

[4] Yahvé, quand tu sortis de Séïr[c],
quand tu t'avanças des campagnes d'Édom,

---

a) Cette ode triomphale, l'un des plus beaux morceaux de l'ancienne littérature hébraïque, a été certainement composée sous l'impression immédiate des événements et elle demeure une mine précieuse de renseignements sur l'antique Israël. Elle atteste le grand développement de la poésie à une époque antérieure à la royauté (puisque Juda n'est pas mentionné), mais surtout elle montre intensément vivant le lien spirituel qui unit les tribus dans le culte de Yahvé. Le Dieu national s'est empressé au secours de son peuple, et c'est à lui que revient la victoire. A la fierté d'avoir un tel Dieu protecteur s'ajoute une reconnaissance joyeuse pour ce dernier témoignage d'une bienveillance sans bornes. On l'exalte, ou le remercie, et mieux encore on l'aime. C'est presque une surprise de constater comment à l'aube d'une histoire où la crainte de Dieu tient une si grande place, un sentiment d'amour attache à Yahvé ces âmes farouches par des liens plus doux que ceux de la terreur.

Au point de vue historique, le cantique de Débora souligne la victoire de l'Israël du Nord et son établissement dans le Nord de la Galilée.

Au point de vue littéraire, le poème a exercé une influence profonde sur toute la littérature biblique, Ha **3**; Ps **68**, etc. De l'avis de beaucoup il n'est pas de Débora elle-même, puisqu'elle y est interpellée au v. 12.

b) Encore aujourd'hui, au moment du combat, les Bédouins enlèvent le couffieh et l'agal qui leur couvrent la tête et laissent flotter leur chevelure.

c) Pour l'ancien Israël Yahvé habitait spécialement le Sinaï, cf. Dt **33** 2, 6; Ps **68** 8-9. — Séïr est le nom du pays qui s'étend au sud de la mer Morte,

la terre trembla, les cieux frémirent,
les nuées fondirent en eau.
⁵ Les montagnes ruisselèrent devant Yahvé,
devant Yahvé, le Dieu d'Israël[a].

⁶ Aux jours de Shamgar fils d'Anat[b], aux jours de Yaël[c].
les routes étaient désertes ;
ceux qui s'en allaient par les chemins
prenaient des sentiers détournés.

⁷ Les villages étaient morts en Israël, bien morts,
jusqu'à ton lever, ô Débora,
jusqu'à ton lever, mère en Israël[d] !

⁸ Les champions de Dieu se taisaient :
pour cinq villes pas un bouclier !
pas une lance pour quarante milliers en Israël[e] !

⁹ Mon cœur bat pour les chefs d'Israël,
avec les libres engagés du peuple !
Bénissez Yahvé !

---

5 4. « *frémirent* » nâmôṭû *G* ; « *ont déversé* » nâṭapû *H*.

5. *Après* « *montagnes* » *H ajoute* « *c'est-à-dire le Sinaï* », *glose*.

7. « *Les villages* » pᵉrâzôt 4 *Mss* ; « *Le commandement* » pᵉrâzôn *H* ; « *Les puissants* » *G*.

8. « *Les champions de Dieu se taisaient : pour cinq villes* » conj. (laḥăméš 'ârîm *au lieu de* lâḥèm šᵉ'ârîm) ; *H corrompu* : « *On choisissait des dieux nouveaux. Alors* [*il y eut*] *combat* [*aux*] *portes* » ; « *... dieux nouveaux ; le pain d'orge manquait* » *G*.

---

tout le long de la vallée de la Araba jusqu'au golfe d'Aqaba. Il est employé
en poésie comme parallèle au Sinaï, mais il désigne surtout la région
d'Édom. Gn **32** 4 ; **36** 8 ; 1 R **19** ; Ha **3** 3 ; Ps **68** 8 s.

a) L'orage manifeste la présence de Yahvé. Cf. Ex **19** 15-18 ; Jg **4** 14 ;
2 S **22** 8-16 ; 1 R **19** 11 ; Mi **1** 3-4 ; etc.

b) Ce Shamgar dut peut-être être distingué du juge Shamgar de **3** 31.

c) « aux jours de Yaël » peut être une glose.

d) Cf. Is **22** 21 ; Jb **29** 16.

e) Même pénurie d'armes en 1 S **13** 19-22.

¹⁰ Vous qui montez des ânesses blanches,
    assis sur des tapis,
    et vous qui allez par les chemins, chantez,
¹¹ aux acclamations des gens en liesse,
    près des abreuvoirs.
    Là on célèbre les bienfaits de Yahvé,
    les bienfaits de sa maîtrise en Israël !
    (Le peuple de Yahvé est descendu aux portes[a].)

¹² Éveille-toi, éveille-toi, Débora !
    Éveille-toi, éveille-toi, clame un chant !
    Courage ! Debout, Baraq !
    et prends ceux qui t'ont pris, fils d'Abinoam[b] !

¹³ Alors Israël est descendu aux portes[c],
    le peuple de Yahvé est descendu pour sa cause, en héros.

¹⁴ Les princes d'Éphraïm sont dans la vallée.
    Ton frère Benjamin est parmi les tiens[d].

---

10. « *chantez* » *šîrû conj.*; « *méditez* » *šîḥû H.*

11. « *acclamations des gens en liesse* » *miqqôl meṣaḥăqîm conj.*; « *par la voix des archers* » *ou* « *de ceux qui partagent le butin* » *miqqôl meḥaṣeṣîm H.*

12. « *Courage* » *G Syr hex* ; *omis par H.* — « *prends ceux qui t'ont pris* » *Syr Arabe* ; « *prends tes captifs* » *H.*

13. « *Alors Israël est descendu aux portes* » *texte corrigé d'après le dernier stique du v.* 11; *H incertain.*

14. « *Les princes (d'Éphraïm) sont dans la vallée* » *šârîm bâ'émèq G* ; « *leur racine est dans Amaleq* » *šoršâm ba'âmâléq H.* — « *Ton frère (Benjamin)* » *'aḥîkâ conj.*; « *derrière toi* » *'aḥărêkâ H.* — *Après* « *le bâton de commandement* » *H ajoute* « *du scribe* », *probablement glose.*

---

a) Ce dernier stique est une anticipation de 13ᵃ.

b) Baraq avait eu à se plaindre personnellement des Cananéens. Cf. **8** 12-21.

c) En Orient, les portes des villes ont toujours été des lieux de réunion.

d) Au début de l'occupation de la Palestine, Benjamin faisait partie de la grande tribu appelée « maison de Joseph », 2 S **19** 20. Il semble que celle-ci, lors de l'installation en Canaan, se soit scindée en trois fractions, Éphraïm, Manassé et Benjamin. C'est seulement sous la monarchie que Benjamin liera son sort à la tribu de Juda.

De Makir sont descendus des chefs[a],
de Zabulon, ceux qui portent le bâton de commande-
15 Les princes d'Issachar sont avec Débora,   [ment.
et Nephtali, avec Baraq[b], dans la vallée s'est lancé sur
                                                        [ses traces.

Auprès des ruisseaux de Ruben[c],
on se consulte longuement.

16 Pourquoi es-tu resté dans les enclos
à écouter les flûtes au milieu des troupeaux[d] ?
(Auprès des ruisseaux de Ruben,
on se consulte longuement.)

17 Galaad est resté au delà du Jourdain[e],
et Dan, pourquoi vit-il sur des vaisseaux étrangers[f] ?

---

15. « *Les princes d'Issachar* » G ; « *Mes princes en Issachar* » H. — « *et Nephtali, avec Baraq* » conj. ; « *et Issachar, avec Baraq* » H; *cette seconde mention d'Issachar est absente du grec ; par ailleurs Nephtali est associé à Baraq qui appartient à cette tribu* (4 6). — « *on se consulte longuement* », litt. « *grandes délibérations* » ḥiqᵉrê *d'après* G Syr *et v.* 16; « *résolutions* » ḥiqᵉqê H.

---

a) Makir, fils aîné de Manassé, Jos **17** 1-2, donc un de ses clans, Nb **26** 29. Makir est ici pour Manassé lui-même dans ses fractions à l'ouest du Jourdain et par opposition avec Galaad, v. 17. Cf. Nb **32** 39.

b) Issachar, Zabulon et Nephtali habitent au nord de la Galilée, à l'ouest du Jourdain et du lac de Tibériade. — Baraq était de la tribu de Nephtali, **4** 6.

c) Le territoire de Ruben va de l'Arnon à Heshbôn et de la mer Morte et du Jourdain jusqu'à la lisière du désert. Ce plateau de Moab est un pays d'élevage.

d) « les flûtes... », litt. « les sifflements des troupeaux ».

e) Galaad, Jos **17** 1-3, représente la demi-tribu de Manassé établie à l'est du Jourdain.

f) Dan avait d'abord reçu un territoire à l'ouest de Jérusalem, Jos **19** 40-48; Jg **1** 34-35. Repoussé par les anciens habitants du pays, il avait émigré et, au temps de Débora, s'était installé au nord dans la région des sources du Jourdain, Jg **17-18**. Sans doute les Danites louaient-ils leurs services aux marins de la côte.

Asher est demeuré au bord de la mer,
il habite tranquille dans ses ports[a].

¹⁸ Zabulon est un peuple qui a bravé la mort,
ainsi que Nephtali, sur les hauteurs du pays[b].

¹⁹ Les rois sont venus, ils se sont rangés en bataille,
alors les rois de Canaan ont combattu
à Tanak, aux eaux de Megiddo[c],
mais ils n'ont pas ramassé d'argent en butin.

²⁰ Du haut des cieux les étoiles ont combattu[d],
de leurs chemins, elles ont combattu Sisera.

²¹ Le torrent du Qishôn les a balayés,
le torrent sacré, le torrent du Qishôn[e] !
Foule, mon âme, avec vigueur !

---

19. « *ils se sont rangés en bataille* » G ; « *ils ont engagé le combat* » H.
21. « *le torrent sacré* » qodâšîm *G ;* qᵉdûmîm (*sens incertain*) H. —
« *Foule, mon âme,* [*avec*] *vigueur* » *texte altéré.*

---

a) Asher occupe la côte méditerranéenne depuis le Carmel jusqu'à Sidon.

b) Zabulon habite la plaine côtière entre Saint-Jean d'Acre et Haïfa, ainsi que les hauteurs qui la dominent. Nephtali s'étend à l'ouest du Jourdain jusqu'à la hauteur de Dan. — Dans cette énumération des tribus, vv. 14-18, il convient de noter les différences par rapport au livre de Josué : Benjamin est plus étroitement rattaché à Éphraïm; avec cette tribu et celle de Manassé, il constitue la maison de Joseph, 2 S **19** 21. Manassé est représenté ici par Makir, fils aîné de Manassé, cf. Jos **17** 1; Galaad, v. 17, représente soit Gad, qui n'apparaît pas autrement, soit la demi-tribu de Manassé en Transjordanie, Jos **13** 29 s. Parmi les dix groupes mentionnés, quatre n'ont pas répondu à l'appel. Juda et Siméon, isolés dans le Sud, ne sont même pas nommés.

c) Tanak et Megiddo étaient alors des villes cananéennes. Cf **4** 14.

d) Image poétique, cf. 2 S **5** 23-24; **22** 8-11; 1 R **19** 11. Cette alliance entre la nature et les grands événements humains est fréquente dans Homère.

e) Torrent sacré, puisqu'il a servi d'instrument à Yahvé.

²² Les sabots des chevaux ont martelé le sol :
　　ils galopent, ils galopent ses coursiers !

²³ Maudissez Méroz*, dit l'Ange de Yahvé,
　　maudissez, maudissez ses habitants :
　　car ils ne sont pas venus à l'aide de Yahvé,
　　à l'aide de Yahvé parmi les héros.

²⁴ Bénie entre les femmes soit Yaël
　　(la femme de Héber le Qénite*),
　　entre les femmes qui habitent les tentes, bénie soit-elle !

²⁵ Il demandait de l'eau, elle a donné du lait,
　　dans la coupe précieuse elle a offert de la crème.
²⁶ Elle a tendu la main pour saisir le piquet,
　　la droite pour saisir le marteau des travailleurs.

　　Elle a frappé Sisera, elle lui a brisé la tête,
　　elle lui a percé et fracassé la tempe.
²⁷ A ses pieds il s'est écroulé, il est tombé, il s'est couché,
　　à ses pieds il s'est écroulé, il est tombé*.
　　Où il s'est écroulé, là il est tombé, mort.

²⁸ Par la fenêtre elle se penche, elle guette,
　　la mère de Sisera, à travers le grillage* :

---

22. « *Les sabots des chevaux ont martelé le sol.* » *conj. d'après* G *en lisant* sûsîm *et* dâhărû : « *les sabots du cheval ...* » H.
26. « *Elle a tendu* » G ; « *Elles ont tendu* » H.
28. « *elle guette* » tabbéṭ G ; « *elle pousse des clameurs* » teyobbéb H.

---

a) Méroz, aujourd'hui Kh. Mârûs, à 12 km. au sud de Qédesh en Nephtali.
b) « la femme de Héber le Qénite » : probablement glose d'après 4 11, 17, 21.
c) Le second stique, qui répète le premier, serait peut-être à supprimer.
d) Comparer dans *les Perses* d'Eschyle l'attente d'Atossa, épouse de Darius.

« Pourquoi son char tarde-t-il à venir ?
Pourquoi sont-ils si lents, ses attelages ? »

²⁹ La plus avisée de ses princesses lui répond,
et elle se répète à elle-même :
³⁰ « Sans doute ils recueillent, ils partagent le butin :
une jeune fille, deux jeunes filles par guerrier !
une étoffe, deux étoffes de couleur pour Sisera,
une broderie, deux broderies pour mon cou ! »

³¹ Ainsi périssent tous tes ennemis, Yahvé !
et ceux qui t'aiment*ᵃ*, qu'ils soient comme le soleil
quand il se lève dans sa force !

Et le pays fut en repos pendant quarante ans.

V. Gédéon et Abimélek

A. Vocation de Gédéon ᵇ

Israël opprimé
par les Madianites.

6. ¹ Les Israélites firent ce qui déplaît à Yahvé; Yahvé les livra pendant sept ans aux mains de Madiân ᵉ,

---

29. « *La plus avisée* » G ; « *les plus avisées* » H.
30. « *une étoffe, deux étoffes de couleur pour Sisera, une broderie, deux broderies pour mon cou* » conj. (*omettre trois fois* šâlâl; *lire* šèbaʿ šᵉbâʿayim... riqmâ riqmâtayim); « *un butin d'étoffes de couleur, broderie, étoffe de couleur, deux broderies pour le cou du butin* » H.
31. « *qui t'aiment* » Syr Vulg ; « *qui l'aiment* » H.

a) Pour se dévouer à la cause de Yahvé, il fallait l'aimer. La cause d'Israël et celle de Yahvé se confondent et n'en font qu'une, Nb **10** 35; 1 S **30** 26.
b) L'histoire de Gédéon est révélatrice de la situation d'Israël à cette époque. Les Hébreux sont devenus des cultivateurs installés dans le pays,

Voir la note *c*, à la page suivante.

² et la main de Madiân se fit lourde sur Israël. C'est pour échapper à Madiân que les Israélites utilisèrent les crevasses des montagnes *a*, les cavernes et les refuges *b*. ³ Chaque fois qu'Israël avait semé, alors Madiân montait, ainsi qu'Amaleq et les fils de l'Orient *c*, ils montaient contre Israël ⁴ et, campés sur sa terre, ils dévastaient les produits du sol jusqu'aux abords de Gaza *d*. Ils ne laissaient à Israël aucun moyen de subsistance, ni une tête de petit bétail, ni un bœuf, ni un âne, ⁵ car ils arrivaient, eux, leurs troupeaux et leurs tentes, aussi nombreux que les sauterelles *e*; eux et leurs chameaux étaient innombrables et ils

---

6 5. « *ils arrivaient...* » yâbo'û *Qer G Vers.*; « *ils montaient et ils arrivaient* » ya'âlû ... ûbâ'û *H Ket.*

---

soumis, de ce chef, comme tous les sédentaires, aux incursions des nomades. Une partie de la population a plus ou moins adopté le culte des Baals, les dieux locaux, maîtres du pays, qui lui donnent son blé et son huile. Une élite demeure fidèle à Yahvé, par laquelle le monothéisme finira par triompher. Ce monothéisme demeure cependant pollué par toute une pensée religieuse ambiante, pénétrée d'influences païennes. — Nous avons ici une première tentative d'instauration de la royauté en Israël.

L'histoire de Gédéon repose sur deux ou peut-être trois documents originaires du royaume du nord, qui ont été utilisés par un rédacteur deutéronomiste.

c) Madiân est fils d'Abraham et de Qetura, Gn **25** 2-6. Le pays de Madiân se trouve à l'est du Golfe Élanitique, Ex **2** 15-16; **3** 1; 18; Gn **25** 1-6; **37** 28-36; la **60** 6. Les bandes madianites parcouraient la péninsule du Sinaï, les hauts plateaux de Moab, et, quand elles le pouvaient, passaient le Jourdain pour piller la Palestine. Cf. Nb **24** 21, etc. Cette oppression madianite est consécutive aux péchés d'Israël, Jg **2** 11

a) Peut-être non seulement des silos, mais aussi des points d'eau soigneusement dissimulés, comme certaines tribus bédouines en ont encore dans le désert.

b) La forteresse de Massada sur les bords de la mer Morte a gardé ce même nom. Cf. 1 S **13** 16; **14** 11; **22** 4-5; **23** 14-19; 1 M **1** 56; **2** 31.

c) Les « fils de l'Orient » désignent les tribus sémites qui parcouraient le désert syro-arabe à l'est du Jourdain, Gn **29** 1; Jg **7** 12; **8** 10; Ez **26** 4; Jb **1** 3.

d) Exagération qui marque, non pas l'occupation complète, mais l'amplitude de razzias rapides.

e) Cette métaphore se retrouve **7** 21; Jr **46** 23; Na **3** 15-17.

envahissaient le pays pour le ravager. ⁶ Ainsi Madiân réduisit Israël à une grande misère et les Israélites crièrent vers Yahvé.

Intervention d'un prophète.

⁷ Lorsque les Israélites eurent crié vers Yahvé à cause de Madiân, ⁸ Yahvé envoya aux Israélites un prophète*ᵃ* qui leur dit : « Ainsi parle Yahvé, Dieu d'Israël. C'est moi qui vous ai fait monter d'Égypte, et qui vous ai fait sortir d'une maison de servitude. ⁹ Je vous ai délivrés de la main des Égyptiens et de la main de tous ceux qui vous opprimaient. Je les ai chassés devant vous, je vous ai donné leur pays, ¹⁰ et je vous ai dit : ' Je suis Yahvé votre Dieu. Ne révérez pas les dieux des Amorites *ᵇ* dont vous habitez le pays. ' Mais vous n'avez pas écouté ma voix. »

Apparition de l'Ange de Yahvé à Gédéon.

¹¹ L'Ange de Yahvé*ᶜ* vint et s'assit sous le térébinthe*ᵈ* d'Ophra*ᵉ*, qui appartenait à Yoash d'Abiézer*ᶠ*. Gédéon*ᵍ*, son fils, dépiquait le blé dans

---

a) Encore que la parole de Dieu ait été rare en ces temps, 1 S **3** 1; cf. cependant Jg **2** 1-5; 1 S **2** 27 s. Ce prophète emploie les formules que l'on retrouve ailleurs, 1 S **2** 27; **10** 18; Jg **2** 1; **6** 12; Ex **20** 2. Comp. ce passage avec **10** 10-16.

b) Ce terme désigne les habitants de la Palestine, Ex **23** 23; Jg **1** 34-36; **10** 11. L'alliance avec les païens était interdite, Ex **34** 12 s; Jg **2** 2; **3** 6.

c) Aux vv. 14, 16, 23, il est désigné par le seul nom de Yahvé. Au v. 22, Gédéon identifie Yahvé et son ange. Cf. **13** 9 s; **2** 1 et la note; Gn **16** 7.

d) « Le térébinthe », arbre sacré et qui était connu. Comp. **4** 6; **6** 11; **9** 37, etc.; Jos **24** 26.

e) Aujourd'hui Et-Taiyibé, à 7 km. à l'ouest de Kaukab, à 11 km. au nord de Beisân. Le térébinthe et l'autel devaient se placer au kh. el-Haddad dans la banlieue du village et au fond de la vallée.

f) Ce clan de Manassé, venu sans doute de l'autre côté du Jourdain, se trouve à cette époque sur l'ancienne limite d'Éphraïm. Jos **17** 2; Nb **25** 30.

g) « Gédéon » : l'abatteur, le coupeur.

le pressoir[a] pour le soustraire à Madiân, [12] et l'Ange de
Yahvé lui apparut[b] : « Yahvé avec toi[c], lui dit-il, vaillant
guerrier ! » [13] Gédéon lui répondit : « Pardon, Monseigneur ! Si Yahvé est avec nous, d'où vient tout ce qui
nous arrive ? Où sont tous ces prodiges que nous racontent
nos pères quand ils disent : ' Yahvé ne nous a-t-il pas fait
monter d'Égypte ? ' Et maintenant Yahvé nous a aban-
donnés, ils nous a livrés au pouvoir de Madiân... »

[14] Alors Yahvé se tourna vers lui et lui dit : « Va avec
la force qui t'anime et tu sauveras Israël de la main de
Madiân. N'est-ce pas moi qui t'envoie ? » — [15] « Pardon,
Monseigneur ! lui répondit Gédéon, comment sauverais-je
Israël ? Mon clan[d] est le plus pauvre en Manassé et moi,
je suis le dernier dans la maison de mon père. » [16] Yahvé
lui répondit : « Je serai avec toi[e] et tu battras Madiân
comme si c'était un seul homme. » [17] Gédéon lui dit : « Si
j'ai trouvé grâce à tes yeux, donne-moi un signe que c'est
toi qui me parles[f]. [18] Ne t'éloigne pas d'ici, je te prie,

---

15. « *Monseigneur* » 'Adôni *G et Mss hébr.*; *H porte* 'Adônay (« *Seigneur* »)
comme si Gédéon reconnaissait déjà Yahvé.

17. « *c'est toi qui ...* » hamm^{e}dabbér *conj.*; m^{e}dabbér *H* (*l'article étant
tombé par haplographie*).

---

a) Non pas avec des bœufs sur l'aire largement ouverte, mais à la main
ou avec un bâton dans le rocher taillé en forme de cuve où le raisin était
foulé aux pieds.

b) Évidemment sous une forme humaine. Cf. Gn **18** 1. On pourrait se
demander, v. 25, si cette apparition n'avait pas été préparée par un songe.

c) En hébreu cette forme de salutation est un souhait, Gédéon affecte
de l'entendre comme une affirmation. Même formule de salut dans
Ruth, **2** 4. Dans Luc, **1** 28, la présence du Seigneur est affirmée et non
souhaitée. Et cela est vrai après l'affirmation que Marie est « pleine de
grâce ».

d) Litt. « mon millier ». Cf. 1 S **9** 21; **23** 23; Gn **36** 15; Jos **22** 14. Ce
terme est synonyme de *mišpâḥáh*. Cf. Ex **3** 11; 1 R **9** 21.

e) Cf. Ex **3** 12-14. G et des mss hébr. portent : « (Et l'ange) lui répondit :
' Yahvé sera avec toi... ' » — « Comme un seul homme » : cf. Nb **14** 15.

f) Gédéon a compris qu'il parle à un être surnaturel et demande un signe.
Cf. Ex **4** 1-9; 2 R **20** 8; Is **7** 11.

jusqu'à ce que je revienne vers toi. Je t'apporterai mon
offrande*a* et je la déposerai devant toi. » Et il répondit :
« Je resterai jusqu'à ton retour. »

¹⁹ Gédéon s'en alla, il prépara un chevreau, et avec une
mesure de farine il fit des pains sans levain*b*. Il mit la
viande dans une corbeille et le jus dans un pot, puis il lui
apporta le tout sous le térébinthe. Comme il s'approchait,
²⁰ l'Ange de Yahvé lui dit : « Prends la viande et les pains
sans levain, pose-les sur ce rocher et répands le jus*c*. » Et
Gédéon fit ainsi. ²¹ Alors l'Ange de Yahvé étendit l'extrémité du bâton qu'il tenait à la main et il toucha la
viande et les pains sans levain*d*. Le feu jaillit du roc, il
consuma la viande et les pains sans levain, et l'Ange de
Yahvé disparut à ses yeux. ²²*e* Alors Gédéon vit que c'était
l'Ange de Yahvé et il dit : « Hélas ! mon Seigneur Yahvé !
C'est donc que j'ai vu l'Ange de Yahvé face à face ? »

---

19. « *Comme il s'approchait* » G ; « *Comme il offrait* » H.
20. « *l'Ange de Yahvé* » G *Vers.* ; « *l'Ange de Dieu* » H.

---

a) « Mon offrande », *minḥâh*. C'est le terme liturgique de Lv **2**, mais
signifiant ici le sacrifice de communion que Gédéon veut offrir. Cf. Gn **4** 4 ;
1 S **2** 17. Les vv. 17ᵇ, 18 et 19 marquent bien qu'il s'agit d'une
offrande.

b) Un chevreau, l'animal du sacrifice par excellence, un *épha* de farine,
c'est-à-dire environ 36 litres ; il convient d'être généreux, Gn **18** 6-8 ; **43** 34 ;
1 S **1** 5 ; des pains sans levain, car le pain fermenté est tenu pour impur ;
déposé sur le roc, liturgie primitive comme il convient à des paysans, hier
encore des nomades. Cf. 1 S **14** 32 s. Les apprêts du sacrifice se font hors
de la présence de la divinité.

c) Les cupules du rocher en d'autres cas devaient contenir le sang, ici
le jus. Des autels israélites archaïques, par exemple à Tell es Sâfy et Tell
Djédeideh, comportent un assez grand nombre de cupules.

d) Au moment de la présentation des offrandes Yahvé va changer le
sacrifice de communion en un holocauste. Nous avons là la consécration
d'un sanctuaire par le feu divin. Cf. Lv **9** 24 (la Tente) ; 1 R **18** 38 (le
Carmel) ; 1 Ch **21** 2 (l'autel sur l'aire d'Ornân) ; 2 Ch **7** 1 (le Temple). — La
fin du v. est déplacée, puisque Yahvé continue de parler à Gédéon.

e) Cf. **13** 22 ; Gn **32** 31 ; Ex **20** 19 ; **33** 30 ; Dt **5** 22 ; Is **6** 5.

²³ Yahvé lui répondit : « Que la paix soit avec toi ! Ne crains rien : tu ne mourras pas. » ²⁴ Gédéon éleva en cet endroit un autel à Yahvé et il le nomma Yahvé-Paix*ᵃ*. Cet autel est encore aujourd'hui à Ophra d'Abiézer.

Gédéon contre Baal *ᵇ*.

²⁵ Il arriva que pendant cette nuit-là Yahvé dit à Gédéon : « Prends le veau gras de ton père, et tu démoliras l'autel de Baal qui appartient à ton père et tu couperas le pieu sacré qui est à côté*ᶜ*. ²⁶ Puis tu construiras à Yahvé ton Dieu, au sommet de cette hauteur abrupte, un autel bien disposé. Tu prendras alors le veau gras et tu le brûleras en holocauste sur le bois du pieu sacré que tu auras coupé. » ²⁷ Gédéon prit alors dix hommes parmi ses serviteurs et il fit comme Yahvé le lui avait ordonné. Seulement, comme il craignait trop sa famille*ᵈ* et les gens de la ville pour le faire en plein jour, il le fit de nuit. ²⁸ Le lendemain matin les gens de la ville se levèrent ; l'autel de Baal avait été détruit, le pieu sacré qui se dressait à côté avait été coupé, et le veau gras avait été offert en holocauste sur le nouvel autel. ²⁹ Ils se dirent alors

---

25. « *le veau gras* » par haššèmèn *G Vers.*; « *le taureau de bœuf* » par haššôr *H qui ajoute* « *le taureau du second sept ans* », *texte corrompu.*

26. « *le veau gras* » par haššèmèn *G Vers.*; « *le second veau* » happâr haššénî *H.*

28. « *le veau gras* » *G Vers.*; « *le second veau* » *H.*

---

a) « Yahvé-Shalom », Dieu de Paix. Cf. Gn **33** 20; Ex **17** 15; Jos **22** 34. On ne constate aucune préoccupation de la loi sur l'unité de sanctuaire, Ex **20** 24-25.

b) Second récit d'un même fait avec des circonstances différentes. Le sanctuaire appartient peut-être au village, mais Yoash en est le gardien. Cf. **6** 11; **8** 27; **17** 5; **18** 26. Pour l'*ashéra* ou pieu sacré, cf. Dt **7** 5; **16** 21.

c) Litt. « dans l'alignement ». A interpréter peut-être comme dans le cas de l'ancien haut lieu de Gézer où l'autel se trouve placé dans une rangée de pierres levées.

d) Yoash porte un nom théophore qui signifie « don de Yahvé ». Le reste de la famille est cependant attaché au culte de Baal.

les uns aux autres : « Qui a fait cela ? » Ils cherchèrent,
s'informèrent et ils dirent : « C'est Gédéon fils de Yoash
qui a fait cela. » [30] Les gens de la ville dirent alors à
Yoash : « Fais sortir ton fils et qu'il meure, car il a détruit
l'autel de Baal et coupé le pieu sacré qui se dressait à côté. »
[31] Yoash répondit à tous ceux qui se tenaient près de lui :
« Est-ce à vous de défendre Baal ? Est-ce à vous de lui
venir en aide ? (Quiconque défend Baal doit être mis à
mort avant qu'il ne fasse jour[a].) S'il est dieu, qu'il se
défende lui-même, puisque Gédéon a détruit son autel. »
[32] Ce jour-là on donna à Gédéon le nom de Yerubbaal[b],
car, disait-on : « Que Baal s'en prenne à lui, puisqu'il a
détruit son autel[c] ! »

L'appel aux armes.   [33] Tout Madiân, Amaleq
et les fils de l'Orient se réu-
nirent ensemble et, ayant
passé le Jourdain, ils vinrent camper dans la plaine de
Yizréel[d]. [34] L'esprit de Yahvé revêtit Gédéon, il sonna du
cor[e] et Abiézer se groupa derrière lui. [35][f] Il envoya des
messagers dans tout Manassé, qui se groupa aussi derrière
lui, et il envoya des messagers dans Asher, dans Zabulon

---

a) On peut estimer que cette incise, qui interrompt le discours ironique
de Yoash, est une glose. — Comparer le discours d'Élie, 1 R **18** 27.

b) Ce second nom de Gédéon, cf. **7** 1, est expliqué ici par une étymologie
populaire; mais originairement le nom signifie au contraire : « Que Baal
prenne parti pour lui », qu'il défende le porteur du nom sacré. — Un autel
de Yahvé prend la place d'un sanctuaire cananéen.

c) Les derniers mots : « puisqu'il a détruit son autel » ne sont qu'une
glose de scribe, qui répète la fin du v. 32.

d) C'est la vallée creuse du Nahr-Djaloud à partir du seuil d'El-Foulé,
mais il est douteux que cette dénomination géographique conserve un
sens aussi restreint dans tous les passages de l'A. T. qui en font mention,
cf. **7** 1.

e) « Revêtit », cf. **3** 10; 1 Ch **12** 18; 2 Ch **24** 20. — « Il sonna du cor »,
Jg **3** 27. Cf. 1 R **22** 19-23.

f) Cf. **7** 23.

et dans Nephtali, qui se mirent en marche pour venir à sa rencontre.

L'épreuve de la toison[a]. ³⁶ Gédéon dit à Dieu : « Si vraiment tu veux délivrer Israël par ma main, comme tu l'as dit[b], ³⁷ voici que j'étends sur l'aire une toison : s'il y a de la rosée seulement sur la toison et que le sol reste sec, alors je saurai que tu délivreras Israël par ma main, comme tu l'as dit. » ³⁸ Et il en fut ainsi. Gédéon se leva le lendemain de bon matin, il pressa la toison et, de la toison, il exprima la rosée, une pleine coupe d'eau. ³⁹ Gédéon dit encore à Dieu : « Ne t'irrite pas contre moi si je parle encore une fois[c]. Permets que je fasse une dernière fois l'épreuve de la toison : qu'il n'y ait de sec que la seule toison et qu'il y ait de la rosée sur tout le sol alentour ! » ⁴⁰ Et Dieu fit ainsi en cette nuit-là. La toison seule resta sèche et il y eut de la rosée sur tout le sol alentour[d].

---

35. « *à sa rencontre* » *conj.*; « *à leur rencontre* » *H.*
40. « *sur* (*le sol*) » ʿal *conj.*; « *vers* » ʾal *H.*

---

a) Dans ce passage, le nom divin *Élohim* se présente trois fois. On peut se demander si cet épisode ne conserve pas la trace d'un second récit de la vocation de Gédéon, récit différent de celui qui nous est présenté aux vv. 11-24, où Dieu parlait sans donner de signes visibles.

b) Allusion aux vv. 15 et 16.

c) Cf. Gn **18** 32.

d) La rosée vient du ciel, Dt **33** 13. Une très ancienne explication qui se trouve dans Origène compare la rosée à la grâce divine. La toison représente en premier lieu le peuple juif, d'abord seul objet spécial des faveurs de Dieu. La rosée couvrira plus tard toute la terre lorsque le peuple juif se sera rendu indigne.

B. La campagne de Gédéon
a l'ouest du Jourdain

**Yahvé réduit l'armée
de Gédéon**[a].

7. [1] Yerubbaal (c'est-à-dire Gédéon[b]) se leva de grand matin ainsi que tout le peuple qui était avec lui, et il vint camper à En-Harod[c]; le camp de Madiân se trouvait au nord du sien, au pied de la colline du Moré[d] dans la vallée. [2e] Alors Yahvé dit à Gédéon : « Le peuple qui est avec toi est trop nombreux pour que je livre Madiân entre ses mains ; Israël pourrait en tirer gloire à mes dépens, et dire : ' C'est ma propre main qui m'a délivré ! ' [3] Et maintenant, proclame donc ceci aux oreilles du peuple : ' Que celui qui a peur et qui tremble, s'en retourne[f]'. » Gédéon les mit à l'épreuve. Vingt-deux mille hommes parmi le peuple s'en retournèrent et il en resta dix mille.

[4] Yahvé dit à Gédéon : « Ce peuple est encore trop nombreux. Fais-les descendre au bord de l'eau et là, je les éprouverai. Celui dont je te dirai : ' Qu'il aille avec toi ', celui-là ira avec toi. Et tout homme dont je te dirai :

---

7 1. « *il vint camper* », *litt.* « *il campa* » *Vers. et v.* 8; « *ils campèrent* » *H.* — « *au pied de la colline* » *conj. cf. v.* 8[b]; « *à partir de la colline* » *H.*

3. « *Gédéon les mit à l'épreuve* » wayyiṣrᵉpém gidᵉʿôn *conj.* ; « *et il s'échappa de la montagne de Galaad* » wᵉyiṣpor méhar haggilᵉʿâd *H.*

---

a) Cf. 1 S **14**; 1 Co **1** 25-29 s : « Ce que le monde tient pour rien, c'est ce que Dieu a choisi pour confondre les forts. »

b) « c'est-à-dire Gédéon » : glose.

c) Aujourd'hui 'Ain Tuba'un, au commencement de la trouée de Beisân. *Hârod* signifie tremblement, cf. v. 3.

d) *Moré* « le devin »; aujourd'hui Djebel Dahi qu'on appelle encore le petit Hermon.

e) Cf. Dt **8** 11-18; **9** 4-5; Is **10** 13-15; **59** 16; **63** 5; Am **6** 13.

f) Ce renvoi des peureux a été codifié en Dt **20** 8, et pratiqué dans les armées juives, 1 M **3** 56.

' Qu'il n'aille pas avec toi ', celui-là n'ira pas. » ⁵ Gédéon
fit alors descendre le peuple au bord de l'eau et Yahvé
lui dit : « Tous ceux qui laperont l'eau avec la langue
comme lape le chien, tu les mettras d'un côté. Et tous ceux
qui s'agenouilleront pour boire, tu les mettras de l'autre. »
⁶ Le nombre de ceux qui lapèrent l'eau avec la langue fut
de trois cents. Tout le reste du peuple s'était agenouillé
pour boire. ⁷ Alors Yahvé dit à Gédéon : « C'est avec les
trois cents hommes qui ont lapé l'eau que je vous sauverai
et que je livrerai Madiân entre tes mains. Que tous les
autres s'en retournent chacun chez soi. » ⁸ Gédéon se fit
alors remettre par le peuple cruches et cors, puis il renvoya
tous les Israélites chacun sous sa tente*a*, ne gardant que les
trois cents. Le camp de Madiân se trouvait au-dessous du
sien dans la vallée.

Présage de victoire. ⁹ Or il arriva que pendant
la nuit Yahvé lui dit : « Lève-
toi, descends au camp, car je
le livre entre tes mains. ¹⁰ Cependant, si tu crains de l'attaquer, descends d'abord au camp avec Pura ton serviteur ;
¹¹ écoute ce qu'ils disent ; tu en seras réconforté, et tu
marcheras contre le camp. » Il descendit donc avec son
serviteur Pura jusqu'aux avant-postes du camp.

¹² Madiân, Amaleq et tous les fils de l'Orient étaient
déployés dans la vallée, aussi nombreux que des sauterelles ;

---

5. « *tu les mettras de l'autre (côté)* » *Vers.*; *omis par* H.

6. « *avec la langue* » G ; « *dans leur main (en la portant) à leur bouche* » H
(*texte vraisemblablement déplacé, qui pourrait être mis à la fin du v.* 6).

8. « (*Gédéon*) *se fit alors remettre par le peuple leurs cruches* », litt. « (*Gédéon*)
prit des mains du peuple leurs cruches » wayyiqqah 'èt-kaddê há'âm miyyâdâm
conj. ; « *le peuple prirent (au plur.) les provisions dans leurs mains* » wayyiqqeḥû
'èt-ṣédah hâ'âm beyâdâm H.

---

a) Cf. **19** 9. L'expression rappelle le temps où Israël était encore nomade,
cf. 1 R **12** 16.

leurs chameaux étaient sans nombre, comme le sable sur le bord de la mer*ᵃ*. ¹³ Gédéon vint donc et voici qu'un homme racontait un rêve à son camarade; il disait : « J'ai eu un rêve : une galette de pain d'orge roulait dans le camp de Madiân*ᵇ*, elle atteignit la tente, elle la heurta et la renversa sens dessus dessous. » ¹⁴ Son camarade lui répondit : « Ce ne peut être que l'épée de Gédéon, fils de Yoash*ᶜ*, l'Israélite. Dieu a livré entre ses mains Madiân et tout le camp. » ¹⁵ Quand il eut entendu le récit du songe et son explication, Gédéon se prosterna*ᵈ*, puis il revint au camp d'Israël et dit : « Debout ! car Yahvé a livré entre vos mains le camp de Madiân ! »

La surprise*ᵉ*. ¹⁶ Gédéon divisa alors ses trois cents hommes en trois bandes*ᶠ*. A tous il remit des cors et des cruches vides, avec des torches dans les cruches : ¹⁷ « Regardez-moi, leur dit-il, et faites comme moi ! Quand je serai arrivé aux abords du camp, ce que je ferai, vous le ferez aussi ! ¹⁸ Je sonnerai du cor, moi et mes compagnons; alors, vous aussi, vous sonnerez du cor tout autour du camp et vous crierez : Pour Yahvé et pour Gédéon ! »

¹⁹ Gédéon et les cent hommes qui l'accompagnaient

---

13. *Après « elle la heurta » H ajoute « et elle tomba »; omis par G. — A la fin du v., H ajoute « et la tente était tombée ».*

19. *« et les cent hommes » G ; « et cent hommes » H.*

---

a) Cf. **6** 3-5.

b) La tente symbolise les nomades; le pain d'orge, les Israélites cultivateurs sédentaires et pauvres, d'où la réponse du v. 14. Pour toute l'antiquité le songe est un moyen pour la divinité de marquer sa volonté ou de dévoiler l'avenir. Gn **28** 10-22; 1 R **3** 5 s; Strabon, XVI, 11, 35 mentionne des songeurs officiels au Temple de Jérusalem, après la captivité.

c) « Gédéon fils de Yoash » est une glose.

d) Le songe est reconnu comme une révélation divine. Cf. Gn **20** 3, etc.

e) On retrouve dans tout ce passage la trace de deux versions différentes du stratagème de Gédéon, qui ont été fusionnées par un rédacteur.

f) Cf. **9** 43; 1 S **11** 11; **13** 17.

arrivèrent aux abords du camp au début de la veille de la mi-nuit, comme on venait de placer les sentinelles[a]; ils sonnèrent du cor et brisèrent les cruches qu'ils avaient à la main. [20] Alors les trois bandes sonnèrent du cor et brisèrent leurs cruches; de la main gauche ils saisirent les torches, de la droite les cors pour en sonner, et ils crièrent : « Pour Yahvé et pour Gédéon[b] ! » [21] Et ils se tinrent immobiles chacun à sa place autour du camp. Tout le camp alors s'éveilla et, poussant des cris, les Madianites prirent la fuite. [22] Pendant que les trois cents sonnaient du cor, Yahvé fit que dans tout le camp chacun tournait l'épée contre son camarade. Tous s'enfuirent jusqu'à Bet-hash-Shitta, vers Çartân, jusqu'à la rive d'Abel-Mehola vis-à-vis de Tabbat[c].

La poursuite. [23] Les gens d'Israël se rassemblèrent, de Nephtali, d'Asher et de tout Manassé, et ils poursuivirent Madiân. [24] Gédéon envoya dans toute la montagne d'Éphraïm des messagers dire : « Descendez à la

---

20. *Avant « Pour Yahvé »*, H *ajoute « Épée »*.
21. *« s'éveilla »* yâqîṣ *conj.; « courut »* yârâṣ H. — *« prirent la fuite »* Qer.
22. *« vers Çartân »* d'après 1 R **4** 12; *« vers Çeréra »* H.

---

a) Ex **14** 24; 1 S **11** 11. Les anciens Israélites partageaient la nuit en trois veilles. Plus tard les Juifs adoptèrent la division romaine en quatre veilles, Mc 6 48; **13** 35.

b) La guerre est la chose de Yahvé, Nb **21** 14; 1 S **18** 17; **25** 28; **17** 45; **30** 26, etc.

c) Bet-hash-Shitta est à chercher dans la vallée du Jourdain, à l'est du fleuve, peut-être à Tell Slihâl. « Vers Çartân » semble être une expression consacrée pour désigner la direction vers le sud de la vallée du Jourdain. Les Madianites fuient vers le sud-est pour regagner la Transjordanie. Abel-Mehola, aujourd'hui Tell Abou Sifri à environ 15 km. au sud de Beisân. En face, à l'est du Jourdain, Tabbat, conservé sous le nom de Ras Abou Tabat.

rencontre de Madiân et occupez les points d'eau avant eux jusqu'à Bet-Bara[a] et le Jourdain. » Tous les gens d'Éphraïm se rassemblèrent et ils occupèrent les points d'eau jusqu'à Bet-Bara et le Jourdain. [25] Ils firent prisonniers les deux chefs de Madiân, Oreb et Zéeb[b], ils tuèrent Oreb au Rocher d'Oreb et Zéeb au Pressoir de Zéeb. Ils poursuivirent Madiân et ils apportèrent à Gédéon au delà du Jourdain les têtes d'Oreb et de Zéeb.

Susceptibilité des Éphraïmites[c].

8. [1] Or les gens d'Éphraïm dirent à Gédéon : « Quelle est donc cette manière d'agir envers nous : tu ne nous as pas convoqués lorsque tu es allé combattre Madiân ? » et ils le prirent violemment à partie. [2] Il leur répondit : « Qu'ai-je donc fait en comparaison de vous ? Le grappillage d'Éphraïm, n'est-ce pas plus que la vendange d'Abiézer ? [3] C'est entre vos mains que Yahvé a livré les chefs de Madiân, Oreb et Zéeb. Ce que j'ai pu faire, est-ce comparable à ce que vous avez accompli ? » Sur ces paroles, ils se calmèrent.

---

25. « *Ils poursuivirent Madiân* » *Vers.*; « *Ils poursuivirent vers Madiân* » *H.* **8** 3. « *Yahvé* » *G Vers.*; « *Dieu* » *H.*

a) L'endroit se localise probablement à Tell Far'a, en face du Ouady Far'a, au sud de Beisân. — « et le Jourdain » (2 fois), double glose pour expliquer le mot « les eaux » (« les points d'eau »).
b) *'Oréb*, « le corbeau », cf. Is **10** 25 ; *Ze'éb* « le loup », cf. **8** 15, où les deux chefs portent des noms différents.
c) Sur les prétentions des Éphraïmites à l'hégémonie, cf. **12** 1-6 ; 2 S **2** 9.

C. La campagne de Gédéon en Transjordanie
et la fin de Gédéon

**Gédéon
poursuit l'ennemi
au delà du Jourdain**[a].

⁴ Gédéon, parvenu au Jourdain, le traversa, mais lui et les trois cents hommes qu'il avait avec lui étaient harassés et affamés. ⁵ Il dit donc aux gens de Sukkot[b] : « Donnez, je vous prie, des galettes de pain[c] à la troupe qui me suit, car elle est harassée, et je suis à la poursuite de Zébah et de Çalmunna[d], rois de Madiân. » ⁶ Mais les chefs de Sukkot répondirent : « Les mains de Zébah et de Çalmunna sont-elles déjà dans ton poing pour que nous donnions du pain à ton armée ? » — ⁷ « Eh bien ! répliqua Gédéon, lorsque

---

4. « *le traversa* » *G Vers.*; « *traversant* » *H.* — « *affamés* » *û re ʿébîm G Vers.*; « *et poursuivaient* » *w e rod e pîm H.*

6. « *répondirent* » *Mss hébr. Vers.*; « *répondit* » (*sing.*) *H.*

---

a) Il s'agit évidemment d'une seconde campagne contre Madiân, dont les chefs sont différents de ceux de la première; elle se déroule à l'du Jourdain. Gédéon y apparaît surtout comme un chef et un vengeur du sang. Chez les Sémites, l'assassinat retombe sur le criminel ou le groupe dont il fait partie, la vengeance incombe aux parents de la victime.

b) Aujourd'hui Tell Ashâs, à 2km. au nord du Nahr ez-Zerkâ, à 11 km. au nord-est de Dâmiyé. Cette ville appartenait aux Gadites, Gn **33** 17; Jos **13** 27; 1 R **7** 46; Ps **60** 8.

c) Litt. « des cercles de pain ». Le pain arabe a toujours la forme d'une galette ronde. Chez les Bédouins actuels il est encore cuit sur des cailloux ou sur une plaque de métal.

d) Zébah et Çalmunna, en hébr. « Victime » et « Ombre Retranchée », déformations dérisoires du nom des rois madianites. Gédéon poursuit les pillards, qui, après une razzia, s'enfuient avec le butin.

Yahvé aura livré en mes mains Zébah et Çalmunna, je vous déchirerai les chairs[a] avec des épines du désert et des chardons. » [8] De là, il monta à Penuel[b] et il adressa la même requête aux gens de Penuel, qui répondirent comme l'avaient fait les gens de Sukkot. [9] Il répliqua également aux gens de Penuel : « Quand je reviendrai vainqueur, je détruirai cette tour. »

Défaite de Zébah et de Çalmunna.

[10] Zébah et Çalmunna se trouvaient dans le Qarqor[c] avec leur armée, environ quinze mille hommes, tous ceux qui étaient restés de l'armée des fils de l'Orient. Ceux qui étaient tombés étaient au nombre de cent vingt mille guerriers[d]. [11] Gédéon monta par la route des nomades, à l'est de Nobah et de Yogbéha[e], et il défit l'armée, alors qu'elle se croyait en sûreté. [12] Zébah et Çalmunna s'enfuirent. Il les poursuivit et il fit prisonniers les deux rois de Madiân, Zébah et Çalmunna. Quant à l'armée, il la détruisit tout entière.

---

11. « *monta par la route des nomades* » (*litt.* « *de ceux qui habitent sous la tente* ») *conj.*; H *incertain*.

12. « *détruisit* » hèḫĕrîb G ; « *fit trembler* » hèḫĕrîd H.

---

a) Supplice encore en usage il y a un demi-siècle, chez les tribus bédouines du plateau de Moab.

b) Très vraisemblablement Touloul ed-Dahab, à 8 km. au delà de Sukkot en remontant le Yabboq.

c) Vraisemblablement la petite plaine de la Buqeï'a, en bordure de laquelle se trouvaient les deux localités Nobah et Yogbéha, dans la boucle du Nahr ez-Zerkâ.

d) Les chiffres semblent exagérés.

e) « La route des nomades », probablement une piste fréquentée par les Bédouins et qui devait descendre du Nord vers le Sud, comme la route du pèlerinage qui va de Damas à la Mecque. Nobah doit être un tell près de Safoût en bordure de la Buqeï'a. Yogbéha est Adjbeihat, près de Suélih, à 13 km. à l'ouest d'Amman sur la route du Salt à Amman.

**Les vengeances
de Gédéon.**

[13] Après la bataille, Gédéon s'en revint par la montée de Harès[a]. [14] Ayant arrêté un jeune homme des gens de Sukkot, il le questionna et celui-ci lui donna par écrit[b] les noms des chefs de Sukkot et des anciens, soixante-dix-sept hommes[c]. [15] Gédéon se rendit alors auprès des gens de Sukkot et dit : « Voici Zébah et Çalmunna, au sujet desquels vous m'avez raillé, disant : Les mains de Zébah et de Çalmunna sont-elles déjà dans ton poing pour que nous donnions du pain à tes gens harassés ? » [16] Il saisit alors les anciens de la ville et, prenant des épines du désert et des chardons, il déchira les gens de Sukkot. [17] Il détruisit la tour de Penuel et massacra les habitants de la ville. [18] Puis il dit à Zébah et Çalmunna : « Comment donc étaient ces hommes que vous avez tués au Tabor[d] ? » — « Ils te ressemblaient, répondirent-ils. Chacun d'eux avait l'air d'un fils de roi. » — [19] « C'étaient mes frères, fils de ma mère[e], reprit Gédéon. Par la vie de Yahvé! si vous les aviez laissés

---

13. « *par la montée de Harés* » G ; H corrompu.
16. « *il déchira* » wayyâdâš G Vers. et v. 7.; « *il fit connaître* » wayyoda' H.
18. « *Comment étaient* » 'êkâh G Vers.; « *Où étaient* » 'êpoh H.

---

a) Gédéon s'en revient par un autre chemin; c'est pourquoi il surprend Sukkot avant Penuel. Cf. **1** 35.

b) Une des rares mentions de la connaissance de l'écriture dans l'antiquité israélite. Cf. 2 S **11** 14.

c) Les chefs devaient représenter le pouvoir exécutif, tandis que les anciens, représentants des principales familles, maintenaient la coutume des ancêtres.

d) Nous ne connaissons pas par ailleurs cette bataille du Tabor. Gédéon fait savoir aux rois de Madiân qu'ils ont tué ses frères et justifie par là son rôle de vengeur du sang. Sur l'existence et le rôle de ce *goèl*, cf. 2 S **3** 27; Nb **35** 19-34; Dt **4** 41-43; Jos **20**; 2 S **21** 1-14; Gn **4** 14-15, 23-24; 2 S **14** 7.

e) Cf. Gn **43** 29; Dt **13** 5; Ct **8** 1. Yoash avait donc plusieurs femmes. Les frères de père et de mère forment un groupe plus intimement lié que les demi-frères.

vivre, je ne vous tuerais pas. » [20] Alors il commanda à Yéter, son fils aîné : « Debout ! Tue-les[a]. » Mais l'enfant ne tira pas son épée, il n'osait pas, car il était encore jeune. [21] Zébah et Çalmunna dirent alors : « Debout ! toi, et frappe-nous, car comme est l'homme, telle est sa force[b]. » Alors Gédéon se leva, il tua Zébah et Çalmunna et il prit les croissants qui étaient au cou de leurs chameaux[c].

Gédéon.
La fin de sa vie.

[22] Les gens d'Israël dirent à Gédéon : « Règne sur nous, toi, ton fils et ton petit-fils, puisque tu nous a sauvés de la main de Madiân[d]. » [23] Mais Gédéon leur répondit : « Ce n'est pas moi qui régnerai sur vous, ni mon fils non plus, car c'est Yahvé qui doit être votre souverain[e]. » [24] « Laissez-moi, ajouta Gédéon, vous faire une requête. Que chacun de vous me donne un anneau prélevé sur son butin. » Les vaincus avaient en effet des anneaux d'or, car c'étaient des Ismaélites[f]. [25] « Très volontiers », répondirent-ils. Il étendit

---

24. « *un anneau prélevé sur son butin* » G *Vers. et v.* 25 ; « *l'anneau de son butin* » H.

25. « *Il étendit donc son* » G ; « *Ils étendirent le* » H.

---

a) Pratique qui s'est conservée jusqu'au moyen âge dans les guerres entre Croisés et Musulmans. L'enfant doit s'associer aux vengeances de la famille.

b) « car comme est l'homme, telle est sa force » H littéral. Il semble que l'on pourrait traduire aussi : « car toi, tu es un guerrier », en corrigeant : *kî 'îš gibbôr 'attâh*.

c) Cf. **9** 54. « Les croissants » sont des ornements en métal, en forme de petites lunes, attachés au harnachement des bêtes de selle. A l'heure actuelle ils sont fabriqués souvent avec deux défenses de sanglier.

d) Offre de la royauté, non pas sur tout Israël, mais seulement sur Sichem et quelques clans, cf. **8** 1-3 ; **9** 21.

e) Gédéon refuse le titre de roi, mais accepte la réalité du pouvoir. Lui et ses enfants exerceront la souveraineté royale, cf. **9**. Comp. 1 S **9** 16 avec 1 S **8** 7 ; **10** 19 ; **12** 12.

f) Gédéon commence à exercer son pouvoir en demandant une part du butin. Cf. 1 R **12** 26 s. Cf. Nb **31** 50, où Moïse prélève pour Yahvé sur

donc son manteau et ils y jetèrent chacun un anneau prélevé sur son butin. ²⁶ Le poids des anneaux d'or qu'il avait demandés s'éleva à mille sept cents sicles d'or*ᵃ*, sans compter les croissants, les pendants d'oreilles et les vêtements de pourpre que portaient les rois de Madiân, sans compter non plus les colliers qui étaient au cou de leurs chameaux. ²⁷ Gédéon en fit un éphod*ᵇ* qu'il plaça dans sa ville, à Ophra. Tout Israël s'y prostitua après lui et ce fut un piège pour Gédéon et sa maison.

²⁸ Ainsi Madiân fut abaissé devant les Israélites. Il ne releva plus la tête et le pays fut en repos pendant quarante ans, aussi longtemps que vécut Gédéon. ²⁹ Yerubbaal, fils de Yoash, s'en alla donc et demeura dans sa maison. ³⁰ Gédéon eut soixante-dix fils, issus de lui, car il avait beaucoup de femmes*ᶜ*. ³¹ Sa concubine qui résidait à Sichem lui enfanta, elle aussi, un fils, qu'il nomma Abi-

---

28. « *aussi longtemps que* (kîmê) *vécut Gédéon* » *conj. cf.* **2** 18; « *aux jours de* (bîmê) *Gédéon* » H.

---

la part du butin de chaque guerrier. — « Ismaélites » est pris ici au sens générique de nomades, caravaniers. D'abord distincts de Madiân, Gn **25** 1-6, 12-16, ils ont fini par être confondus avec eux. Gn **28** 9; **37** 25-28; Ez **27** 22.

a) Le sicle valait 16 gr. 36, à moins qu'il ne s'agisse du sicle léger, 8 gr. 18. 26ᵇ pourrait être une glose puisque, au v. 27, il n'est parlé que de l'or.

b) La pratique de prélever une part du butin pour Yahvé était courante en Israël. Cf. Nb **31** 28-30; 1 S **21** 9; 2 S **8** 11-12; 2 R **11** 10; Ez **16** 18. — L'éphod peut désigner le pagne dont le port s'imposait en présence de Yahvé, 1 S **2** 18; **22** 18, etc.; 2 S **6** 14; le vêtement de cérémonie du grand prêtre, Ex **28** 4-6; **39** 2-7; un symbole divin, réceptacle des sorts sacrés, qui servait à consulter Yahvé, Jg **17** 5; **18** 14-17, 20; 1 S **2** 28; **14** 3; **21** 10, etc.; enfin une statue, vraisemblablement plaquée d'or, et qu'on retrouve avec les téraphim, Jg **18** 17-18; 1 S **21** 9; Os **3** 4; Is **30** 22. C'est ici le sens, puisqu'au v. 27 cet emblème est déclaré idolâtrique (« se prostitua »). Cf. **8** 35; **9** 16-19 où cette idolâtrie explique les malheurs d'Israël.

c) Un harem nombreux est en Orient une marque de puissance et de souveraineté.

mélek[a]. [32] Gédéon, fils de Yoash, mourut après une heureuse vieillesse et on l'ensevelit dans le tombeau de Yoash, son père, à Ophra d'Abiézer.

Rechute d'Israël. [33] Après la mort de Gédéon, les Israélites recommencèrent à se prostituer aux Baals et ils prirent pour dieu Baal-Berit[b]. [34] Les Israélites ne se souvinrent plus de Yahvé, leur Dieu, qui les avait délivrés de la main de tous les ennemis d'alentour. [35] Et à la maison de Yerubbaal-Gédéon, ils ne montrèrent pas la gratitude méritée par tout le bien qu'elle avait fait à Israël.

D. La royauté d'Abimélek[c]

Abimélek devient roi. **9.** [1] Abimélek, fils de Yerubbaal, s'en vint à Sichem auprès des frères de sa mère et il leur adressa ces paroles ainsi qu'à tout le clan de la

---

9 1. « *tout le clan de la maison de sa mère* » conj.; « *tout le clan de la maison du père de sa mère* » H.

---

a) Mariage du type qu'en Orient on appelle aujourd'hui *djôz musarrib*. L'épouse demeure dans sa famille, mais les enfants appartiennent au clan du père, cf. **9** 3; comp. Jg **14**, le mariage de Samson avec la femme de Timna. « Concubine » signifie ici femme de second rang. — Abimélek : « Mon père (c'est-à-dire Yahvé) est roi », cf. v. 23.

b) Baal Berit ou El-Berit (**9** 46), dieu de l'alliance et des serments. Il semble que les Israélites aient contaminé par des idolâtries cananéennes les anciennes traditions des patriarches, les unissant dans un même souvenir.

c) Les exégètes sont unanimes à reconnaître dans ce ch. l'un des épisodes les plus anciens de l'histoire d'Israël. Il est possible que ce récit, tout au moins dans son esprit, émane des cercles prophétiques du royaume du Nord, hostiles au régime monarchique, et l'apologue de Yotam exprime les idées courantes en ces milieux, mais il raconte des faits réels qui se sont passés au début de l'installation des Hébreux en Palestine. Israël et Canaan vivent en bon voisinage et, si ce dernier a accepté Gédéon comme roi, c'est parce qu'il l'a libéré des pillards madianites. Si plus tard les habitants de Sichem sont exterminés, le motif religieux n'en est pas la cause, mais

maison de sa mère *a* : [2] « Faites donc entendre ceci, je vous
prie, aux notables de Sichem : Que vaut-il mieux pour
vous ? Avoir pour maîtres soixante-dix personnes, tous les
fils de Yerubbaal, ou n'en avoir qu'un seul *b* ? Souvenez-
vous d'ailleurs que je suis, moi, de vos os et de votre
chair ! » [3] Les frères de sa mère parlèrent de lui à tous les
notables de Sichem *c* dans les mêmes termes, et leur cœur
pencha pour Abimélek, car ils se disaient : « C'est notre
frère ! » [4] Ils lui donnèrent donc soixante-dix sicles d'argent du temple de Baal-Berit *d* et Abimélek s'en servit pour
soudoyer des gens de rien, des aventuriers, qui s'atta-
chèrent à lui. [5] Il se rendit alors à la maison de son père à
Ophra et il massacra ses frères, les fils de Yerubbaal,
soixante-dix hommes, sur une même pierre *e*. Yotam
cependant, le plus jeune fils de Yerubbaal, échappa, car il
s'était caché. [6] Puis tous les notables de Sichem et tout

---

uniquement leur révolte contre Abimélek. Pourtant ce rapprochement
entre les deux peuples constitue un obstacle au développement normal
d'Israël, il l'empêche de se constituer selon son idéal, d'autant plus que
l'élément cananéen à Sichem est prépondérant.

Dominant les acteurs du drame qui s'agitent selon leurs passions et qui
ne sont pour elle que des instruments, la justice de Yahvé triomphe et les
coupables sont les uns pour les autres l'occasion d'un juste châtiment.

a) Peut-être d'une origine cananéenne, en tout cas, clan d'une importance reconnue.

b) L'une des faiblesses des monarchies orientales, c'est que l'ordre de
succession n'y est presque jamais solidement fixé. Gédéon a été le maître
de Sichem et il est naturel que la souveraineté passe à sa descendance. —
« De vos os... » c'est-à-dire de votre parenté, Gn **29** 14; 2 S **5** 1; **19** 13.

c) Les *ba῾alîm* ou notables de Sichem représentent les propriétaires du
sol par opposition aux petites gens, les *'anâšîm*. Le rôle de la *gens* en
Orient a toujours été primordial.

d) Les temples jouaient souvent le rôle de trésor public, cf. 2 M **3** 4 s. —
Baal-Berit, et *El-Berit* au v. 46, exemple de ce syncrétisme hébréo-cananéen
où le culte du dieu El par les Israélites finit par se confondre avec celui
du Baal des Sichémites cananéens. — « Des gens de rien », en fait, de ces
hommes de main qu'on emploie pour faire les révolutions, Jg **11** 3;
1 S **22** 2.

e) Meurtre public et en quelque sorte officiel, assez commun en Orient,
lors d'un changement de règne. 2 R **10** 1-17; **11** 1-3, etc.

Bet-Millo se réunirent et ils proclamèrent roi Abimélek près du Térébinthe de la stèle qui est à Sichem[a].

⁷ On l'annonça à Yotam. Il vint se poster sur le sommet du mont Garizim et il leur cria à haute voix :

Apologue de Yotam[b].

« Écoutez-moi, notables de Sichem,
pour que Dieu vous écoute !

⁸ Un jour les arbres se mirent en chemin
pour oindre un roi qui régnerait sur eux[c].
Ils dirent à l'olivier : ' Sois notre roi ! '

⁹ L'olivier leur répondit :
' Faudra-t-il que je renonce à mon huile,

---

6. « de la stèle » hammaṣṣébâh conj.; « dressé » muṣṣâb H.

---

a) Bet-Millo, vraisemblablement identique au Migdol-Sichem des vv. 46 et 49. Millo représente un terre-plein fortifié sur lequel devaient s'élever le palais du dynaste local et les édifices publics, parmi lesquels le grand hall à murs massifs que les archéologues identifieraient volontiers avec le temple de Baal-Berit. La réunion des notables en ce lieu est toute naturelle. Le « térébinthe de la stèle » ne peut être que celui signalé dans Gn **12** 6; **35** 4; Dt **11** 30; Jos **24** 26. Josué avait dressé une stèle sous cet arbre sacré.

b) L'apologue de Yotam est un des premiers exemples de poésie gnomique en Israël et l'un des plus anciens monuments de la poésie hébraïque en général. Il est antérieur à la situation à laquelle il ne s'applique que à-peu-près. Seul, le trait final constitue une leçon pour les Sichémites. Cette fable exprime d'une façon générale les sentiments des anciens Israélites pour la royauté à une époque où ils passent d'un état de demi-nomades à celui d'agriculteurs. Ce mépris de la monarchie se retrouve dans 1 S **8**. L'olivier, le figuier et la vigne, arbres productifs, refusent la fonction inutile de roi; ils représentent Yerubbaal, cf. **8** 23, mais Abimélek, le buisson d'épines, accepte; or il est inutile et dangereux.

c) La cérémonie de l'onction royale (1 S **10** 1; **16** 13) est un rite très ancien par lequel un roi ou un prophète, en tant que représentants de la divinité, transmettent des pouvoirs supérieurs. Par ce même rite, les futurs sujets peuvent également consacrer leur roi. Jg **9** 8; 2 S **2** 4, 7; **5** 3, 17; **19** 10.

qui rend honneur aux dieux et aux hommes[a],
pour aller me balancer au-dessus des arbres ? '

10 Alors les arbres dirent au figuier :
' Viens, toi, sois notre roi ! '

11 Le figuier leur répondit :
' Faudra-t-il que je renonce à ma douceur
et à mon excellent fruit,
pour aller me balancer au-dessus des arbres ? '

12 Les arbres dirent alors à la vigne :
' Viens, toi, règne sur nous ! '

13 La vigne leur répondit :
' Faudra-t-il que je renonce à mon vin,
qui réjouit les dieux et les hommes[b],
pour aller me balancer au-dessus des arbres ? '

14 Tous les arbres dirent alors au buisson d'épines :
' Viens, toi, sois notre roi ! '

15 Et le buisson d'épines répondit aux arbres :
' Si c'est de bonne foi que vous m'oignez pour régner
venez vous abriter sous mon ombre.   [sur vous,
Sinon un feu sortira du buisson d'épines
et il dévorera les cèdres du Liban[c] ! '

---

9. « *qui rend honneur* », litt. « *avec laquelle on honore* » G ; « *en moi on honore* » H.

---

a) Attestation très ancienne de l'usage de l'huile dans le culte. Ex **29** 2 ; Lv **2** 1, 15 ; Nb **15** 4.

b) Conception naïve et très primitive. Ps **104** 15 ; Pr **31** 6 ; Qo **2** 3 ; Si **31** 27.

c) Le roi, comme le buisson d'épines, est inutile, puisqu'il ne donne pas d'ombre, et dangereux, puisqu'un feu peut sortir de lui.

¹⁶^a « Ainsi donc, si c'est de bonne foi et en toute loyauté
que vous avez agi et que vous avez fait roi Abimélek, si
vous vous êtes bien conduits envers Yerubbaal et sa
maison, si vous l'avez traité selon le mérite de ses actions... ^b
¹⁷ Alors que mon père a combattu pour vous, qu'il a
exposé sa vie, qu'il vous a délivrés de la main de Madiân,
¹⁸ vous, aujourd'hui, vous vous êtes levés contre la maison
de mon père, vous avez massacré ses fils, soixante-dix
hommes sur une même pierre, et vous avez établi roi sur
les notables de Sichem Abimélek, le fils de son esclave,
parce qu'il est votre frère ! ¹⁹ Si donc c'est de bonne foi et
en toute loyauté qu'aujourd'hui vous avez agi envers
Yerubbaal et envers sa maison, alors qu'Abimélek fasse
votre joie et vous la sienne ! ²⁰ Sinon, qu'un feu sorte
d'Abimélek et qu'il dévore les notables de Sichem et de
Bet-Millo, et qu'un feu sorte des notables de Sichem et de
Bet-Millo pour dévorer Abimélek ! »

²¹ Puis Yotam prit la fuite, il se sauva et se rendit à
Béer^c, où il s'établit pour échapper à son frère Abimélek.

**Révolte des Sichémites
contre Abimélek.**

²² Abimélek exerça le pou-
voir pendant trois ans sur
Israël^d. ²³ Puis Dieu envoya
un esprit de discorde^e entre
Abimélek et les notables de Sichem, et les notables de

---

a) A la fin de l'apologue qui parlait de « bonne foi », Yotam accroche
une nouvelle leçon dirigée, non plus contre le roi, mais contre ceux qui le
soutiennent. Les Sichémites n'agissent pas avec plus de bonne foi envers
Abimélek qu'ils n'ont agi envers Yerubbaal et ce sera pour le malheur de
tous.

b) Suspension du raisonnement qui se trouve repris au v. 19.

c) Aujourd'hui El-Biré au nord de Beisân et à l'est du Tabor.

d) Non pas sur tout Israël, mais seulement sur le territoire de Sichem et
quelques clans israélites.

e) Litt. « un esprit mauvais », cf. 1 S **16** 14; **18** 10; 1 R **22** 19-23, non
pas réellement un esprit, mais, dans le cas présent, une disposition d'âme
qui va causer une brouille entre les deux parties.

Sichem se révoltèrent contre Abimélek. [24] C'était afin que le crime commis contre les soixante-dix fils de Yerubbaal fût vengé et que leur sang retombât sur Abimélek leur frère, qui les avait massacrés, ainsi que sur les notables de Sichem qui l'avaient aidé à massacrer ses frères[a]. [25] Pour lui faire pièce, les notables de Sichem placèrent donc des embuscades au sommet des montagnes et ils dévalisaient quiconque passait près d'eux par le chemin[b]. On le fit savoir à Abimélek. [26] Gaal, fils d'Obed[c], accompagné de ses frères, vint à passer par Sichem et il gagna la confiance des notables de Sichem. [27] Ceux-ci sortirent dans la campagne pour vendanger leurs vignes, ils foulèrent le raisin, organisèrent des réjouissances et entrèrent dans le temple de leur dieu. Ils y mangèrent et burent[d] et maudirent Abimélek. [28] Alors Gaal, fils d'Obed, s'écria : « Qui est Abimélek, et qu'est-ce que Sichem, pour que nous lui soyons asservis ? Ne serait-ce pas au fils de Yerubbaal et à Zebul, son préposé, de servir les gens de Hamor, père de Sichem[e] ? Pourquoi lui serions-nous asservis, nous ? [29] Qui me mettra ce peuple dans la main, car alors je chasserais

---

24. « *afin que* (*le crime...*) *fût vengé* », litt. « *de façon à faire retomber sur lui* » l[e]hâbî' *G ; pour venir* » lâbô' *H*.

26. « *fils d'Obed* » *G Vulg ;* « *fils d'un esclave* » 'èbèd *H. Même correction aux vv.* 28, 30, 31, 35.

28. « *Ne serait-ce pas à.... de servir* » *conj.;* « *Servez* » *H.*

---

a) Réflexion du rédacteur qui souligne comment la justice divine se servira des événements pour punir les coupables.

b) Brigandage qui va priver Abimélek des droits de péage.

c) Vraisemblablement un Cananéen, qui fait appel aux Sichémites autochtones contre le demi-Israélite qu'était Abimélek. Cf. v. 28[b].

d) Sacrifice de communion qui suit une heureuse récolte. Cf. Is **28** 1-3.

e) Zebul, d'une racine *zbl* qui implique une idée de noblesse. Hamor, Gn **34**, le prince hivvite, qui, au temps de Jacob, régnait sur le pays. Le Cananéen bravache proteste que c'est aux Israélites de servir les anciens possesseurs du pays. Zebul ménage les deux camps, il ne s'oppose pas ouvertement à Gaal, mais, en sous-main, informe Abimélek.

Abimélek et je lui dirais : Renforce ton armée et viens te
battre ! » ³⁰ Zebul, gouverneur de la ville, apprit les propos
de Gaal, fils d'Obed, et il en fut irrité. ³¹ Il envoya des
messagers vers Abimélek à Aruma ᵃ, avec ordre de lui dire :
« Voici que Gaal, fils d'Obed, avec ses frères, est arrivé à
Sichem, et ils excitent la ville contre toi. ³² En conséquence, lève-toi de nuit, toi et les gens que tu as avec toi, et
mets-toi en embuscade dans la campagne, ³³ puis, le matin,
au lever du soleil, tu surgiras et tu te déploieras contre la
ville. Quand Gaal avec ses troupes sortira à ta rencontre,
tu le traiteras selon les circonstances ᵇ. » ³⁴ Abimélek se mit
donc en route de nuit avec toutes les troupes dont il disposait et ils s'embusquèrent en face de Sichem, en quatre
bandes. ³⁵ Comme Gaal, fils d'Obed, sortait et faisait halte
à l'entrée de la porte de la ville, Abimélek et les gens qui
l'accompagnaient surgirent de leur embuscade. ³⁶ Gaal vit
cette troupe et il dit à Zebul : « Voici des gens qui descendent du sommet des montagnes. » — « C'est l'ombre
des monts, lui répondit Zebul, et tu la prends pour des
hommes. » ³⁷ Gaal reprit encore : « Voici des gens qui
descendent du côté du Nombril de la Terre, tandis qu'une
autre bande arrive par le chemin du Chêne des Devins ᶜ. »
³⁸ Zebul lui dit alors : « Qu'as-tu fait de ta langue ᵈ ? Toi

---

29. « *et je lui dirais* » G ; « *et il dit à Abimélek* » H.
31. « *à Aruma* » bâ'rûmâh *v.* 41 *et* G ; « *par ruse* » *ou* « *en secret* » bᵉtormâh
H. — « *ils excitent* » mᵉ'îrîm *conj.*; « *ils assiègent* » ṣârîm H.

---

a) Aujourd'hui Kh. El 'Orma, à 14 km. au sud-est de Sichem.
b) Litt. « selon ce que trouvera ta main ».
c) Le « Nombril de la terre », probablement un sommet arrondi auquel
les gens du pays avaient donné ce nom. Cf. Ez **38** 12. Le « Chêne des
Devins » est à identifier avec le Chêne de Moré, Gn **12** 6; *Moré* signifie
« celui qui donne une instruction divine », qui rend un oracle comme le
devin. Comp. 2 S **5** 24; 1 R **19** 11.
d) Litt. « où est ta bouche ? ».

qui disais : ' Qui est Abimélek pour que nous lui soyons asservis ? ' Ne sont-ce pas là les gens que tu méprisais ? Sors donc maintenant et livre-lui combat. » ³⁹ Et Gaal sortit à la tête des notables de Sichem et il livra combat à Abimélek. ⁴⁰ Abimélek poursuivit Gaal, qui se sauva devant lui, et beaucoup de gens de celui-ci tombèrent morts avant d'atteindre la porte *ᵃ*. ⁴¹ Abimélek s'en revint alors à Aruma, et Zebul, chassant Gaal et ses frères, les empêcha d'habiter à Sichem.

Destruction de Sichem et prise de Migdal-Sichem.

⁴² Le lendemain le peuple sortit dans la campagne, et Abimélek en fut informé. ⁴³ Il prit sa troupe, la partagea en trois bandes et se mit en embuscade dans les champs. Lorsqu'il vit les gens sortir de la ville, il fondit sur eux et les tailla en pièces. ⁴⁴ Tandis qu'Abimélek et la bande qui était avec lui se déployaient et prenaient position à l'entrée de la porte de la ville, les deux autres bandes se jetèrent contre tous ceux qui étaient dans la campagne et les massacrèrent. ⁴⁵ Toute la journée Abimélek donna l'assaut à la ville. L'ayant prise, il en massacra la population, détruisit la ville et y sema du sel *ᵇ*. ⁴⁶ A cette nouvelle, les notables de Migdal-Sichem se rendirent tous dans la crypte du temple d'El-Berit *ᶜ*. ⁴⁷ Dès qu'Abimélek eut appris que tous les notables de

---

41. « *s'en revint* » wayyâšâb G ; « *demeura* » wayyéšèb H.
44. « *la bande* » G Vulg ; « *les bandes* » H.

---

a) La ville n'est pas encore prise. Le texte porte : « la porte de la ville ».
b) Ce geste ne se rencontre qu'ici dans la Bible. Les terres salées sont stériles. Semer du sel symbolise et assure magiquement la stérilité de la terre. Dt **29** 22 ; Jr **17** 6 ; So **2** 9 ; Jb **39** 6 ; Ps **107** 34.
c) Peut-être la salle aux murs massifs qui a été découverte par Sellin, et où les habitants pouvaient espérer profiter du droit d'asile puisqu'elle était attenante au temple. El-Berit est le même que Baal-Berit du v. 4.

Migdal-Sichem s'y étaient rassemblés, [48] il monta sur le mont Çalmôn[a], lui et toute sa troupe. Prenant en mains une hache, il coupa une branche d'arbre, qu'il souleva et chargea sur son épaule, en disant aux gens qui l'accompagnaient : « Ce que vous m'avez vu faire, vite, faites-le comme moi. » [49] Tous ses gens se mirent donc à couper chacun une branche, puis ils suivirent Abimélek et, entassant les branches sur la crypte, ils la brûlèrent sur ceux qui s'y trouvaient[b]. Tous les habitants de Migdal-Sichem périrent aussi, environ mille hommes et femmes.

**Siège de Tébèç
et mort d'Abimélek.**

[50] Puis Abimélek marcha sur Tébèç[c], il l'assiégea et la prit. [51] Il y avait là, au milieu de la ville, une tour fortifiée où se réfugièrent tous les hommes et femmes et tous les notables de la ville. Après avoir fermé la porte derrière eux, ils montèrent sur la terrasse de la tour. [52] Abimélek parvint jusqu'à la tour et il l'attaqua. Comme il s'approchait de la porte de la tour pour y mettre le feu, [53] une femme lui lança une meule de moulin sur la tête[d] et lui brisa le crâne. [54] Il appela aussitôt son écuyer et lui dit : « Tire ton épée et tue-moi, pour qu'on ne dise pas de

---

48. « *une hache* » G *Vers.*; « *les haches* » H.
49. « *une branche* » G ; « *sa branche* » H.

---

a) *Çalmôn*, la « montagne ombreuse », à cause des forêts qui la couvraient. Elle représente vraisemblablement une ramification du Garizim.

b) Pour éviter le sacrilège d'un meurtre par effusion du sang dans un lieu sacré, Abimélek fait périr les habitants par le feu. L'antiquité cite plusieurs cas semblables d'un viol du droit d'asile par le moyen de tels subterfuges.

c) *Tébèç*, aujourd'hui Toûbas à 16 km. au nord-est de Sichem, ville cananéenne, puisque, au v. 55, les assiégeants sont appelés Israélites.

d) Le moulin antique se compose d'une partie inférieure et fixe sur laquelle tourne la meule courante qui écrase le blé. Cf. Dt **24** 6; 2 S **11** 20-24. C'est cette « meule » que la femme lance sur Abimélek. Telle est l'histoire de Pyrrhus, roi d'Épire, tué de la même façon au siège d'Argos,

moi : C'est une femme qui l'a tué. » Son écuyer le trans-
perça et il mourut*a*. ⁵⁵ Quand les gens d'Israël virent
qu'Abimélek était mort, ils s'en retournèrent chacun
chez soi*b*.

⁵⁶ Ainsi Dieu fit retomber sur Abimélek le mal qu'il
avait fait à son père en égorgeant ses soixante-dix frères.
⁵⁷ Et Dieu fit aussi retomber sur la tête des gens de Sichem
toute leur méchanceté. Ainsi s'accomplit sur eux la malédiction de Yotam, fils de Yerubbaal*c*.

JEPHTÉ ET LES « PETITS JUGES »*d*

VI. TOLA*e*

10. ¹ Après Abimélek, se leva pour sauver Israël Tola,
fils de Pua*f*, fils de Dodo*g*. Il était d'Issachar et il habitait
Shamir*h* dans la montagne d'Éphraïm. ² Il fut juge en
Israël pendant vingt-trois ans, puis il mourut et fut enseveli
à Shamir.

---

a) Cf. 1 S **31** 4.

b) Échec de ce premier essai de royauté en Israël.

c) L'historiographe tire la conclusion et fait ressortir la justice divine.

d) Le nom de ces « petits juges » a pu être choisi parce que leur tombe
était vénérée dans le village de leur clan. Ils portent d'ailleurs des noms de
clans. De même le nombre douze a été peut-être pris pour des raisons
étrangères à la vérité historique. L'auteur sacré a conservé en eux le souvenir de chefs de clans, de nobles, cf. **5** 2, 9, 13, 15, qui, à un moment donné,
ont su prendre le commandement et chasser les ennemis d'Israël. Ils ont
les mœurs de leur temps, mais ils sont tous des fidèles de Yahvé.

e) Tola et Pua étaient des clans importants de la tribu d'Issachar.
Cf. Gn **46** 13 ; Nb **26** 23 ; 1 Ch **7** 1-5.

f) Après « Pua », G et Vulg ajoutent « fils de Karié, son oncle (d'Abimélek) ». G et Vulg omettent « Il était d'Issachar ».

g) Cf. 2 S **23** 9 ; *Stèle de Mésha*, l. 12. Dodo est aussi un nom de divinité,
Am **8** 14. C'est peut-être ici une forme abrégée d'un nom plus complet.

h) Shamir n'a pas été identifié, mais devait se trouver dans la montagne
d'Éphraïm. Ce serait le souvenir du passage d'Issachar dans la région. Il
y a un autre Shamir dans la montagne de Juda, Jos **15** 48.

VII. YAÏR[a]

³ Après lui se leva Yaïr de Galaad, qui jugea Israël pendant vingt-deux ans. ⁴ Il avait trente fils qui montaient trente jeunes ânes et ils possédaient trente villes, qu'on appelle encore aujourd'hui les Douars de Yaïr[b], au pays de Galaad.

⁵ Puis Yaïr mourut et il fut enseveli à Qamôn[c].

VIII. JEPHTÉ[d]

Oppression des Ammonites.

⁶ Les Israélites recommencèrent à faire ce qui déplaît à Yahvé. Ils servirent les Baals et les Astartés[e], ainsi que les

---

10 4. « *villes* » ʿârîm *G Syr;* « *jeunes ânes* » ʿăyârîm *H.*

---

a) Nom d'un clan de Manassé au pays de Galaad. Nb **32** 41; Dt **3** 14; 1 R **4** 13; 1 Ch **2** 21-23. Galaad est la contrée qui, au sens large, est délimitée au nord par le Yarmuk, au sud par l'Arnon, à l'est par le désert, à l'ouest par le Jourdain.

b) Jeu de mots entre ʿ*ayir,* ânon, ʿ*îr,* ville et *Yâʾîr.* Les « douars de Yaïr » représentent les cercles de tentes qui, dans un campement de nomades, groupent les membres d'une même famille. Leur nombre varie d'après les textes qui les mentionnent : le nombre de ces campements a dû varier selon les temps et les lieux. Le juge Yaïr a pu être le chef important d'un campement de semi-nomades de Transjordanie.

c) Aujourd'hui Qamm, à l'est du Jourdain, au nord du Nahr-ez-Zerkâ, à 4 km. au nord de Taïybé.

d) Jephté est le juge par excellence du pays de Galaad. La longue introduction, **10** 6-16, qui précède son histoire, forme une préface explicative à la seconde partie des Juges, Jephté d'abord, puis Samson et sans doute aussi Samuel, 1 S **1-12.** Elle reprend les thèmes généraux exposés au ch. **2** par un rédacteur deutéronomiste et un reviseur, mais déjà précédemment

Voir la note *e,* à la page suivante.

dieux d'Aram et de Sidon, les dieux de Moab, ceux des
Ammonites et des Philistins. Ils abandonnèrent Yahvé et
ne le servirent plus. ⁷ Alors la colère de Yahvé s'alluma
contre Israël*a* et il le livra aux mains des Philistins et aux
mains des Ammonites. ⁸ Ceux-ci écrasèrent et opprimèrent
les Israélites à partir de cette année-là pendant dix-huit ans,
tous les Israélites qui habitaient au delà du Jourdain, dans
le pays amorite en Galaad*b*. ⁹ Les Ammonites passèrent le
Jourdain pour combattre aussi Juda, Benjamin et la maison
d'Éphraïm et la détresse d'Israël devint extrême*c*. ¹⁰ Alors

---

formulés par un prophète, **6** 7-10. La plupart des exégètes admettent que
le récit qui suit présente des traces de remaniement et qu'il peut provenir
de versions différentes. Un rédacteur récent a amplifié et unifié. Quoi qu'il
en soit, il convient de mettre à la base du récit une ou plusieurs traditions
historiques d'origine transjordanienne. Jephté, rejeté par sa famille, est
devenu un outlaw, un chef de bande, comme pourrait l'être aujourd'hui
un Bédouin, chassé de sa tribu. On le rappelle au jour du danger. Jephté
accepte, mais pose des conditions qui aboutissent à un nouvel essai de
royauté. Pourquoi son nom a-t-il survécu ? A cause de son vœu. Jephté
est un Yahviste authentique (cf. He **11** 32), mais ses idées sont celles d'un
chef de bande au xɪɪᵉ siècle av. J. C. Il faudra la prédication des prophètes
pour qu'une moralité plus élevée puisse enfin s'imposer aux masses. Le
sacrifice humain chez les Hébreux était chose possible, surtout sous
l'influence des idées cananéennes, mais la preuve qu'il rencontrait partout
une opposition marquée, c'est le souvenir tragique du vœu de Jephté et
la lamentation publique qu'il appelait dans la suite des générations. — La
lutte entre Éphraïm et Galaad montre combien l'idée d'une unité politique
et religieuse était étrangère à toutes les tribus.

e) La mention générale des dieux étrangers va être précisée par l'énumération des divinités des pays voisins : Aram est peut-être un ajouté
postérieur, dû à **3** 8-10, Sidon représente la Phénicie; Moab ayant été
écrasé au temps d'Éhud, les Ammonites le remplacent; les Philistins sont
cités sans doute pour annoncer l'histoire de Samson, et celle aussi de
Samuel et de Saül. Il n'apparaît pas d'ailleurs que l'oppression des Ammonites ait coïncidé avec celle des Philistins, 1 S **7** 2-6.

a) Formule stéréotypée, cf. déjà **2** 14; **3** 8 et les introductions à l'histoire
des autres Juges.

b) « Cette année-là », incise à placer probablement après **11** 4, marque-
rait l'année qui a suivi l'expulsion de Jephté. Mais G a plus vague-
ment : « en ce temps-là ». — « Dans le pays amorite en Galaad »,
Nb **21** 21-35.

c) Même expression, **2** 15.

les Israélites crièrent vers Yahvé, disant : « Nous avons péché contre toi, car nous avons abandonné Yahvé notre Dieu pour servir les Baals. » [11] Et Yahvé dit aux Israélites : « Quand les Égyptiens et les Amorites[a], les Ammonites et les Philistins, [12] les Sidoniens, Amaleq et Madiân vous opprimaient et que vous avez crié vers moi, ne vous ai-je pas sauvés de leurs mains ? [13] Mais vous, vous m'avez abandonné et vous avez servi d'autres dieux. C'est pourquoi je ne vous sauverai plus. [14] Allez ! Criez vers les dieux que vous avez choisis ! Qu'ils vous sauvent, eux, au temps de votre détresse ! » [15] Les Israélites répondirent à Yahvé : « Nous avons péché ! Agis envers nous comme il te semblera bon, seulement, aujourd'hui délivre-nous ! » [16] Ils firent disparaître de chez eux les dieux étrangers qu'ils avaient et ils servirent Yahvé. Alors Yahvé ne supporta pas plus longtemps la souffrance d'Israël[b].

[17] Les Ammonites, s'étant réunis, vinrent camper à Galaad. Les Israélites se rassemblèrent et établirent leur camp à Miçpa[c]. [18] Alors le peuple, les chefs de Galaad[d], se dirent les uns aux autres : « Quel est l'homme qui entreprendra d'attaquer les fils d'Ammon ? Celui-là sera le chef de tous les habitants de Galaad. »

---

10. « *Yahvé notre Dieu* » G *Vers.*; « *notre Dieu* » H.
11. *V. corrigé d'après* G *Vulg.*
12. « *Madiân* » *d'après* G ; « *Ma'ôn* » H.

---

a) Cf. **1** 34. Liste retouchée, puisque les Ammonites et Philistins ne sont pas encore battus. La tradition textuelle est d'ailleurs assez flottante.

b) Même enlèvement des idoles, Jos **24** 19-24; 1 S **7** 3-4. — « Ne supporta pas » : litt. « son *nèpèš* devint court ». Non pas seulement « perdre patience », mais « devenir impatient » : Yahvé a hâte de mettre fin à la souffrance d'Israël.

c) La Miçpa de Jephté correspondrait au Kh. Djel'ad ou Tell Djal'ud. Il s'agit de la Miçpa de Galaad, cf. Gn **31** 49.

d) Cf. **11** 11. « les chefs de Galaad » doit être une glose.

**Jephté pose
ses conditions.**

11. [1] Jephté, le Galaadite, était un vaillant guerrier[a]. Il était fils d'une prostituée. Et c'est Galaad qui avait engendré Jephté[b]. [2] Mais la femme de Galaad lui enfanta aussi des fils, et les fils de cette femme, ayant grandi, chassèrent Jephté en lui disant : « Tu n'auras pas de part à l'héritage de notre père, car tu es le fils d'une femme étrangère[c]. » [3] Jephté s'enfuit loin de ses frères et s'établit dans le pays de Tob[d]. Il se forma autour de lui une bande de gens de rien qui faisaient campagne avec lui[e].

[4] Or, à quelque temps de là, les Ammonites s'en vinrent combattre Israël. [5] Et lorsque les Ammonites eurent attaqué Israël, les anciens de Galaad allèrent chercher Jephté au pays de Tob. [6] « Viens, lui dirent-ils, sois notre commandant[f], afin que nous combattions les Ammonites. » [7] Mais Jephté répondit aux anciens de Galaad : « N'est-ce pas vous qui m'avez pris en haine et chassé de la maison de mon père ? Pourquoi venez-vous à moi, maintenant que vous êtes dans la détresse ? » [8] Les anciens de Galaad répliquèrent à Jephté : « C'est justement pour cela que maintenant nous sommes revenus à toi. Viens avec nous, tu combattras les Ammonites et tu seras notre chef, celui de tous les habitants de Galaad[g]. » [9] Jephté répondit aux

---

a) Cf. 1 S **9** 1; **16** 18; l'expression indique aussi le notable aisé qui, à la guerre, s'équipe à ses frais, 2 R **15** 20.

b) Phrase ajoutée et qui résume la situation : Jephté est un bâtard, né d'un père inconnu en Galaad. Jos **17** 1; 1 Ch **5** 14; Nb **26** 29-34.

c) Litt. « d'une femme autre ». Gn **21** 10; **29** 19; cf. v. 7.

d) Aujourd'hui Et-Taïybé à 15 km. est-sud-est de Dera'a dans le Galaad septentrional, 2 S **10** 6, 8; 1 M **5** 13; 2 M **2** 17.

e) Comp. Abimélek, **9** 4; David, 1 S **22** 1-2; 2 S **13** 17, etc.

f) *Qâṣîn*, terme militaire, Jos **10** 24.

g) Non plus seulement le chef militaire, mais littéralement la tête, *ro'š*, le prince.

anciens de Galaad : « Si vous me faites revenir pour combattre les Ammonites et que Yahvé les livre à ma merci, alors je serai votre chef. » — [10] « Que Yahvé soit témoin entre nous, répondirent à Jephté les anciens de Galaad. Malheur à nous si nous ne faisons pas comme tu l'as dit ! » [11] Jephté partit donc avec les anciens de Galaad. Le peuple le mit à sa tête comme chef et commandant; et Jephté répéta toutes ses conditions à Miçpa, en présence de Yahvé [a].

Pourparlers de Jephté avec les Ammonites [b].

[12] Jephté envoya des messagers au roi des Ammonites [c] pour lui dire : « Qu'y a-t-il donc entre toi et moi pour que tu sois venu faire la guerre à mon pays ? » [13] Le roi des Ammonites répondit aux messagers de Jephté : « C'est parce qu'Israël, au temps où il montait d'Égypte, s'est emparé de mon pays, depuis l'Arnon jusqu'au Yabboq et au Jourdain [d]. Rends-le maintenant de bon gré ! » [14] Jephté envoya de nouveau des messagers au roi des Ammonites, [15] et il lui fit dire [e] : « Ainsi parle Jephté. Israël ne s'est emparé ni du pays de Moab, ni de celui des Ammonites.

---

11 13. « *Rends-le* » *G Vulg ;* « *Rends-les* » *H.*

a) Jephté a souligné la solennité de l'engagement et les anciens de Galaad prêtent un serment qui sera prononcé à Miçpa, v. 11 (cf. Gn **31** 49), où il n'y avait donc pas seulement une stèle, mais un véritable sanctuaire populaire. Yahvé y est pris comme témoin. Cf. **6** 24. Il faudrait peut-être traduire « le Yahvé de Miçpa ». Cf. 2 S **15** 7-8, le Yahvé d'Hébron.

b) Les droits de Moab et d'Ammon sur ces hauts plateaux étaient les mêmes. Les arguments valaient donc également pour Ammon comme ils auraient valu pour Moab.

c) Moïse agit de même, Nb **20** 14; **21** 21; Dt **2** 19 s, 27.

d) Les « plaines de Moab » ont été l'objet d'un conflit perpétuel avec Israël, Nb **21** 26; Jg **3** 12-30; *Stèle de Mésha ;* Is **15-16**; Jr **48**; **49** 1; Ez **25** 1-11.

e) Le plaidoyer de Jephté s'appuie sur le récit de Nb **20** 14; **21** 21-30; Dt **2** 27-37.

¹⁶ Quand il est monté d'Égypte, Israël a marché dans le désert jusqu'à la mer des Roseaux et il est parvenu à Cadès. ¹⁷ Alors Israël a envoyé des messagers au roi d'Édom pour lui dire : ' Laisse-moi, je te prie, traverser ton pays ! ' mais le roi d'Édom ne voulut rien entendre. Il en envoya aussi au roi de Moab, qui refusa, et Israël demeura à Cadès, ¹⁸ puis, s'avançant dans le désert, il contourna le pays d'Édom et celui de Moab et parvint à l'orient du pays de Moab. Le peuple campa au delà de l'Arnon, sans franchir la frontière de Moab, car c'est l'Arnon qui fait la limite. ¹⁹ Israël envoya ensuite des messagers à Sihôn, roi des Amorites, qui régnait à Heshbôn, et Israël lui fit dire : ' Laisse-moi, je te prie, traverser ton pays jusqu'à ma destination. ' ²⁰ Mais Sihôn refusa à Israël le passage sur son territoire, il rassembla toute son armée, qui campa à Yahaç[a], et il engagea le combat contre Israël. ²¹ Yahvé, Dieu d'Israël, livra Sihôn et toute son armée à la merci d'Israël qui les défit, et Israël prit possession de tout le pays des Amorites qui habitaient cette contrée. ²² Il posséda ainsi tout le pays des Amorites, depuis l'Arnon jusqu'au Yabboq et depuis le désert jusqu'au Jourdain. ²³ Et maintenant que Yahvé, Dieu d'Israël, a chassé les Amorites devant son peuple Israël, toi, tu nous déposséderais ? ²⁴ Est-ce que tu ne possèdes pas tout ce que Kemosh, ton dieu, a enlevé à ses possesseurs ? De même tout ce que Yahvé, notre Dieu, a enlevé à ses possesseurs, nous le possédons[b] ! ²⁵ Vaudrais-tu donc mieux que Balaq, fils de

---

20. « *refusa* » way°mâ'én tét *G Vers. et Nb* **20** 21; « *n'eut pas confiance* » w°lo' hè'ĕmîn 'èt *H*.

24. « *a enlevé à ses possesseurs* » yôrîš *conj.*; « *t'a mis en possession* » yôrîškâ *H*.

---

a) Nb **21** 23; Dt **2** 32; Jos **13** 18.

b) Le dieu des Ammonites était en réalité Milkom, I R **11** 5-7; 2 R **23** 13; Jr **49** 1, 3, 46; 2 S **12** 30 (grec); Kemosh est le dieu principal des Moabites,

Çippor, roi de Moab*ᵃ*? Est-il entré en contestation avec
Israël? Lui a-t-il fait la guerre*ᵇ*? ²⁶ Quand Israël s'est
établi à Heshbôn et dans les villes qui en dépendent, à
Yazèr*ᶜ* et dans ses dépendances, ainsi que dans toutes les
villes qui sont sur les rives du Jourdain (trois cents ans*ᵈ*),
pourquoi ne les avez-vous pas reprises à ce moment-là*ᵉ*?
²⁷ Pour moi, je n'ai pas péché contre toi, mais toi, tu agis
mal envers moi en me faisant la guerre. Que Yahvé, le
Juge, juge aujourd'hui entre les enfants d'Israël et le roi
des Ammonites. » ²⁸ Mais le roi des Ammonites n'écouta
pas le message que Jephté lui avait fait transmettre.

**Le vœu de Jephté
et sa victoire.**

²⁹ L'esprit de Yahvé fut
sur Jephté*ᶠ*, qui parcourut
Galaad et Manassé, passa par
Miçpé de Galaad et, de
Miçpé de Galaad*ᵍ*, s'en vint derrière les Ammonites. ³⁰ Et
Jephté fit un vœu à Yahvé : « Si tu livres entre mes mains
les Ammonites, ³¹ celui qui sortira le premier des portes de
ma maison pour venir à ma rencontre quand je reviendrai
vainqueur du combat contre les Ammonites, celui-là

---

26. « *Yazèr* » et « *Jourdain* » G *Vulg* ; « *Aroër* » et « *Arnon* » H.

29. « *passa... et... s'en vint derrière les Ammonites* » G *et v.* 33; « *passa
(contre)* » *c'est-à-dire* « *marcha (contre)* » H.

Nb **21** 29; Jr **48** 46; *Stèle de Mésha.* Kemosh a dû glisser dans le texte par la
faute d'un copiste. Jephté parle ici le langage commun de l'Orient antique,
mais Israël savait par ailleurs (et les documents plus anciens de la Bible en
font foi), que Yahvé exerçait sa puissance même sur les terres étrangères,
voir le v. 27. Cf. Ex **7** 11; Rt **1** 13-18; Mi **4** 5 s.

a) Cf. Nb **22-24.**

b) Cf. cependant Jos **24** 9-10.

c) Heshbôn, aujourd'hui Heŝbân entre l'Arnon et le Yabboq. Yazèr,
aujourd'hui Kh. Djazzir sur le cours du Ouadi Ša'ib.

d) La parenthèse est une glose.

e) Jephté conclut qu'il y a prescription.

f) Cf. **3** 10.

g) Peut-être vaudrait-il mieux lire : « Miçpa d'Éphraïm » d'après **12** 2,
où Jephté rappelle qu'il a demandé aux Éphraïmites de l'aider.

appartiendra à Yahvé, et je l'offrirai en holocauste[a]. »
[32] Jephté marcha contre les Ammonites pour les attaquer
et Yahvé les livra entre ses mains. [33] Il les battit depuis
Aroër jusque vers Minnit (vingt villes), et jusqu'à Abel-
Keramim[b]. Ce fut une très grande défaite; et les Ammonites furent abaissés devant les Israélites.

[34] Lorsque Jephté revint à Miçpé, à sa maison, voici
que sa fille sortit à sa rencontre en dansant au son des
tambourins[c]. C'était son unique enfant. En dehors d'elle
il n'avait ni fils, ni fille. [35] Dès qu'il l'eut aperçue, il déchira
ses vêtements et s'écria : « Ah ! ma fille, tu m'apportes le
malheur[d] ! Faut-il que ce soit toi qui causes mon infortune !
Je me suis engagé, moi, devant Yahvé, et ne puis me
dédire[e]. » [36] Elle lui répondit : « Mon père, tu t'es engagé
envers Yahvé, traite-moi selon le vœu que tu as prononcé,
puisque Yahvé t'a accordé de te venger de tes ennemis, les

---

34. « *En dehors d'elle* » *G* ; « *En dehors de lui* » *H*.

---

a) Le vœu de Jephté est clair; il s'agit d'un sacrifice humain suivi d'holocauste. D'après les idées de l'antiquité, le sacrifice de ce que l'homme a de
plus cher force la main de la divinité. On connaît le vœu d'Idoménée qui,
au cours d'une tempête, promet à Poséidon d'immoler la première personne
qui s'avancerait vers lui sur la place (Servius, *Aen.*, III, 121 et XI, 264).
Agamemnon immole sa fille Iphigénie (*Iph. Taur.*, 20 s; Sophocle, *Élect.*,
559). Chez les Hébreux : Gn **22** 1-19; Mi **6** 7. Jephté, bien que yahviste
convaincu, partage les idées de son temps et de son milieu. Cf. Mésha,
le roi de Moab, sacrifiant son fils, 2 R **3** 27. Les sacrifices humains existaient
en Israël depuis très longtemps, Gn **22**, mais ils avaient été interdits par
la Loi.
b) Aroër, Jos **13** 25; probablement Kh. es-Safra à 7 km. à l'est de
Amman. Minnit à 6 km. de Heshbân dans la direction de Amman. Abel-
Keramim à 6 ou 7 milles de Amman, peut-être Naʿour au début du ouadi
Naʿour.
c) Elle prend la tête du chœur de jeunes filles qui s'en va au-devant du
vainqueur. Cf. **15** 20; 1 S **18** 11; **29** 5; Ct **7** 1.
d) Litt. « tu es parmi les personnes qui m'affligent ».
e) Le vœu, comme la bénédiction ou la malédiction, une fois prononcé,
a une existence indépendante de la personne qui l'a émis. Nb **30** 3; **32** 24;
Ps **66** 13-14; Jr **44** 17. D'où la recommandation de Pr **20** 25.

Ammonites. » ³⁷ Puis elle dit à son père : « Que cette
requête me soit accordée ! Laisse-moi libre pendant deux
mois. Je m'en irai errer sur les montagnes et, avec mes
compagnes, je pleurerai ma virginité ᵃ. » — ³⁸ « Va », lui
dit-il, et il la laissa partir pour deux mois. Elle s'en alla
donc, elle et ses compagnes, et elle pleura sa virginité sur
les montagnes. ³⁹ Les deux mois écoulés, elle revint vers
son père et il accomplit sur elle le vœu qu'il avait prononcé. Elle n'avait pas connu d'homme. Et de là vient
cette coutume en Israël : ⁴⁰ tous les ans les filles d'Israël
s'en vont se lamenter quatre jours par an sur la fille de
Jephté le Galaadite ᵇ.

**Guerre entre Éphraïm
et Galaad.
Mort de Jephté.**

12. ¹ Les gens d'Éphraïm
se rassemblèrent, ils passèrent le Jourdain dans la direction de Çaphôn ᶜ et ils dirent
à Jephté : « Pourquoi es-tu
allé combattre les Ammonites sans nous avoir invités à
marcher avec toi ? Nous brûlerons toi et ta maison ᵈ ! »

---

37. « *Je m'en irai errer* » wᵉradtî *Vers.*; « *Je descendrai (sur la montagne)* »
wᵉyâradtî *H.*

39. « *de là vient cette coutume* » *G* ; « *elle devint (l'origine d')une coutume* » *H.*
40. « *se lamenter* » lᵉqônén *G Syr Vulg* ; « *chanter* » lᵉtannôt *H.*

---

a) L'antiquité considérait comme un malheur et un déshonneur pour
une femme le fait de n'avoir pas de postérité. Is **47** 8; **49** 21; Sophocle,
Antig., 890 s. La virginité volontaire n'apparaît qu'avec l'Évangile,
Lc **1** 34.
b) Ces lamentations qui perpétuent le souvenir d'un malheur ne sont
pas inconnues en Israël; cf. après la mort de Josias, 2 Ch **35** 25.
c) Vraisemblablement Tell Saʿîdiyé au confluent du ouadi Kafrindji,
près d'un gué du même nom, en face de Sichem, Jos **13** 27; Nb **26** 15.
d) Cf. **14** 15; **15** 6. Les Éphraïmites prétendent exercer une hégémonie
sur tout Israël, cf. **8** 1-3. Ils veulent surtout (cf. la glose qui termine le v. 4)
empêcher la sécession des tribus transjordaniennes qui primitivement
appartenaient à la maison de Joseph, Nb **26** 29 s. Ainsi Jephté avait
demandé aux Éphraïmites de venir à son secours, v. 2.

² Jephté leur répondit : « J'avais une grosse affaire, mon peuple et moi, et les Ammonites m'opprimaient durement. Je vous ai appelés à mon aide et vous ne m'avez pas délivré de leurs mains. ³ Quand j'ai vu que personne ne venait à mon secours, j'ai risqué ma vie *ᵃ*, j'ai marché contre les Ammonites et Yahvé les a livrés entre mes mains. Pourquoi donc aujourd'hui êtes-vous montés contre moi pour me faire la guerre ? » ⁴ Alors Jephté rassembla tous les hommes de Galaad, il livra bataille à Éphraïm et les gens de Galaad défirent Éphraïm, car ceux-ci disaient : « Vous n'êtes que des transfuges d'Éphraïm, vous, Galaadites, au milieu d'Éphraïm, au milieu de Manassé *ᵇ*. » ⁵ Puis Galaad coupa à Éphraïm les gués du Jourdain *ᶜ*, et quand des fuyards d'Éphraïm disaient : « Laissez-moi passer », les gens de Galaad demandaient : « Es-tu Éphraïmite ? » S'il répondait : « Non », ⁶ alors ils lui disaient : « Eh bien, dis Shibbolet *ᵈ* ! » Il disait : « Sibbolet », car il ne pouvait pas prononcer correctement. Alors on le saisissait et on l'égorgeait près des gués du Jourdain. Il périt en cette circonstance quarante-deux mille hommes d'Éphraïm *ᵉ*.

---

12 2. « *m'opprimaient* » *Vers.*; *omis par* H.

   3. « *que personne ne venait* » G *Vers.*; « *que tu ne venais pas* » H.

   6. « *il ne pouvait pas* » lo' yâkol G *Vulg*; « *il ne faisait pas attention à* » lo' yâkîn H.

---

   a) Litt. « j'ai mis mon âme dans la paume de ma main », comme pour en faire l'offrande, cf. 1 S. **19** 5; **28** 21.

   b) « Vous n'êtes que des transfuges... au milieu de Manassé » H. D'après G et Vers., cette phrase serait une ajoute.

   c) Cf. **3** 28; **7** 24.

   d) Shibbolet peut signifier épi, ou, mieux en situation dans ce passage, le courant d'un fleuve. Ici le défaut de prononciation fera reconnaître les Éphraïmites.

   e) C'est la revanche de Galaad après Sukkot et Penuel si durement traités par Gédéon.

[7] Jephté jugea Israël pendant six ans, puis Jephté le Galaadite mourut et il fut enseveli dans sa ville, Miçpé de Galaad.

IX. IBÇÂN[a]

[8] Après lui Ibçân de Bethléem[b] fut juge en Israël. [9] Il avait trente fils et trente filles. Il maria celles-ci au dehors et il fit venir du dehors trente brus pour ses fils[c]. Il fut juge en Israël pendant sept ans. [10] Puis Ibçân mourut et il fut enseveli à Bethléem.

X. ÉLÔN[d]

[11] Après lui Élôn de Zabulon fut juge en Israël. Il jugea Israël pendant dix ans. [12] Puis Élôn de Zabulon mourut et fut enseveli à Élôn au pays de Zabulon.

XI. ABDÔN

[13] Après lui Abdôn, fils de Hillel[e] de Piréatôn[f], fut juge en Israël. [14] Il avait quarante fils et trente petits-fils qui

---

7. « *dans sa ville, Miçpé (G : Sephé) de Galaad* » G et Josèphe ; « *dans les villes de Galaad* » H.

12. « *à Élôn* » G ; « *à Ayyalôn* » H.

a) Les notices sur ces trois derniers « petits juges » semblent dues à un rédacteur de l'école sacerdotale.

b) Il s'agit de Bethléem de Zabulon, Jos **19** 15, à 10 km. à l'ouest-nord-ouest de Nazareth. Le village a gardé son nom.

c) Ibçân pratique l'exogamie, contrairement à la coutume sémitique. Il se crée ainsi des alliances.

d) Élôn, nom d'un clan, Gn **46** 14; Nb **26** 26; d'une ville, v. 12, et d'un arbre sacré. Élôn de Zabulon, peut-être Tell el-Butmé (le térébinthe) dans le Sahel el-Battof.

e) Ici et au v. 15, G a « Sellem » au lieu de « Hillel ».

f) Piréatôn, aujourd'hui Fer'atha à 12 km. au sud-ouest de Naplouse. 1 M **9** 50.

montaient soixante-dix jeunes ânes. Il jugea Israël pendant
huit ans *ᵃ*. ¹⁵ Puis Abdôn, fils de Hillel de Piréatôn, mourut,
et il fut enseveli à Piréatôn dans la montagne d'Éphraïm,
au pays de Shaalim *ᵇ*.

XII. SAMSON *ᶜ*

**L'annonce
de la naissance
de Samson.**

13. ¹ Les Israélites recommencèrent à faire ce qui
déplaît à Yahvé, et Yahvé les
livra aux mains des Philistins
pendant quarante ans *ᵈ*.

² Il y avait un homme de Çoréa *ᵉ*, du clan de Dan *ᶠ*,

---

15. « *dans la montagne d'Éphraïm, au pays de Shaalim* » G et 1 S 9 4; « *au
pays d'Éphraïm, sur la montagne de l'Amalécite* » H.

---

a) Cf. **10** 4.

b) Shaalim, cf. 1 S 9 4.

c) L'histoire de Samson n'a rien à voir avec un mythe astral. Pour l'expliquer, une seule hypothèse reste possible : à la base, un fait historique,
l'existence d'un paysan danite d'une force extraordinaire et qui mène
contre les Philistins une guerre privée. Une très ancienne tradition, et dont
le rédacteur devait tenir compte, parce qu'elle s'imposait à lui, c'est que
cette force est d'origine divine. Elle est due à l'irruption dans le héros d'un
esprit divin, **13** 25; **14** 6, 19; **15** 14; **16** 28, ou peut-être au fait que, nazir,
Samson avait été consacré à Dieu, **13**; **16** 17ᵃ. Elle est donc un don de
Yahvé, **16** 28. Que plus tard la verve populaire ait brodé sur ce thème,
la chose est visible en nombre de détails, mais cela n'a pas empêché l'idée
religieuse de se dégager : En face de l'inertie apeurée de tout le peuple
d'Israël, Samson demeure un témoignage vivant du soin que Yahvé met
à soutenir les siens, aussi longtemps qu'ils restent fidèles à ses commandements; l'abandon, dans lequel il semble parfois les laisser, n'est que la
conséquence de leurs fautes; mais, dès qu'ils reviennent à lui, Dieu se fait
de nouveau leur force et leur appui.

d) Formule rédactionnelle, cf. **3** 12; **4** 1; **6** 1; **10** 6. Les Philistins, venus
des îles méditerranéennes au cours du XIIIᵉ siècle, se sont installés au sud
du territoire de Dan et à l'ouest de Juda, sur la côte de la Palestine qui a
pris leur nom. Ils sont les incirconcis par excellence.

e) Aujourd'hui Sarʿa à 22 km. au nord de Beit-Djibrin; Jos **15** 39;
19 41; 1 Ch **2** 53.

f) Sur Dan, cf. Gn **46** 23; Nb **26** 42; **49** 16; Jos **19** 40, 48; Jg **1** 34-35;

nommé Manoah*ᵃ*. Sa femme était stérile et n'avait pas eu
d'enfant*ᵇ*. ³ L'Ange de Yahvé*ᶜ* apparut à cette femme et
lui dit : « Tu es stérile et tu n'as pas eu d'enfant. ⁴ Mais
désormais, prends bien garde ! Ne bois ni vin, ni boisson
fermentée*ᵈ*, et ne mange rien d'impur. ⁵ Car tu vas concevoir et tu enfanteras un fils. Le rasoir ne passera pas sur
sa tête, car l'enfant sera nazir de Dieu*ᵉ* dès le sein de sa
mère. C'est lui qui commencera à sauver Israël de la main
des Philistins. » ⁶ La femme s'en alla dire à son mari : « Un
homme de Dieu m'a abordée qui avait l'apparence de
l'Ange de Dieu, tant il était majestueux. Je ne lui ai pas
demandé*ᶠ* d'où il venait et il ne m'a pas fait connaître son
nom. ⁷ Mais il m'a dit : Tu vas concevoir et tu enfanteras

---

13 3. *H ajoute « Tu vas concevoir et tu enfanteras un fils », doublet de 5 ᵃ.*

---

5 17-18. Les Danites avaient reçu un territoire à l'ouest de Jérusalem,
mais plus tard, dès le début même de l'installation en Palestine (Jg **5** 17),
une partie de la tribu avait émigré au nord du pays. Nous ignorons si la
vie de Samson se place avant ou après cette migration.

a) Manoah se retrouve sous une forme gentilice en 1 Ch **2** 54. Ce nom
semble se rattacher à un clan horite, donc antérieur à l'arrivée des Israélites,
Gn **36** 23, qui plus tard s'est fondu avec Juda, 1 Ch **2** 54, et les Calébites.

b) Cf. Gn **11** 30; **18** 10; 1 S **1** 20; Lc **1** 13.

c) Cf. **2** 1; **6** 11. Comp. v. 22, où l'ange s'identifie avec Yahvé, comme
en **6** 22-23.

d) Au v. 14, rien de ce qui provient de la vigne, et, d'une façon générale,
rien d'impur, Lv **11** Dt **14**.

e) « Nazir », c'est-à-dire consacré. Si l'on compare les interdictions qui
sont imposées à la mère de Samson avec les prescriptions si minutieuses du
naziréat officiel, Nb **6**, il semblerait que nous avons ici une forme antérieure du naziréat. Dans Nb **6** 3 s, il n'est pas question de la mère; ici, elle
doit se soumettre aux mêmes interdictions que son fils. La prescription
principale concerne le port de la chevelure, qui indique une consécration
de l'être humain tout entier. Par voie de conséquence, l'enfant devra
s'abstenir de tout ce qui est impur, Lv **11**; Dt **14**, donc du vin et de toute
boisson fermentée; car l'ivresse est une impureté majeure puisqu'elle
empêche de distinguer entre le pur et l'impur, Lv **10** 8 s; Ez **44** 21. Chez
presque tous les primitifs le port de la chevelure est en relation avec la
guerre, comme ici 5 ᵇ. Il ne semble pas que Samson ait observé les règles
du naziréat officiel, **14** 9-10; **15** 15.

f) G et Vulg portent « Je lui ai demandé ».

un fils. Désormais ne bois ni vin, ni boisson fermentée, et ne mange rien d'impur, car l'enfant sera nazir de Dieu depuis le sein de sa mère jusqu'au jour de sa mort[a] ! »

Seconde apparition de l'ange.

[8] Alors Manoah implora Yahvé et dit : « Je t'en prie, Seigneur ! Que l'homme de Dieu que tu as envoyé vienne encore une fois vers nous, et qu'il nous apprenne ce que nous aurons à faire à l'enfant lorsqu'il sera né ! » [9] Yahvé exauça Manoah et l'Ange de Yahvé vint de nouveau trouver la femme, alors qu'elle était assise dans le champ ; Manoah, son mari, n'était pas avec elle. [10] Vite, la femme courut informer son mari et lui dit : « Voici que m'est apparu l'homme qui est venu vers moi l'autre jour. » [11] Manoah se leva, suivit sa femme, vint vers l'homme et lui dit : « Es-tu l'homme qui a parlé à cette femme ? » Et il répondit : « C'est moi. » — [12] « Quand ta parole s'accomplira, lui dit Manoah, quelle règle et quelle conduite l'enfant devra-t-il avoir[b] ? » [13] L'Ange de Yahvé répondit à Manoah : « Tout ce que j'ai interdit à cette femme, qu'il s'en abstienne. [14] Qu'il n'absorbe rien de ce qui provient de la vigne[c], qu'il ne boive ni vin, ni boisson fermentée, qu'il

---

9. : « *Yahvé* » *Vers.*; « *Dieu* » *H.* — « *l'Ange de Yahvé* » *Vers.*; « *l'Ange de Dieu* » *H.*

12. : « *Quand* » (*au temps où*) *conj.*; « *Maintenant* » *H.* — « *ta parole* » *Vers.*; « *tes paroles* » *H.*

13. : « *qu'il s'en abstienne* » *conj.*; « *qu'elle s'en abstienne* » *H.*

14. : « *qu'il* » *conj.*; « *qu'elle* » *H.*

---

a) Le naziréat pouvait être temporaire, Nb **6**, mais aussi perpétuel : c'est le cas pour Samson, comme pour Samuel, 1 S **1** 11-28 ; cf. Am **2** 11.

b) Manoah ne connaît pas les règles du naziréat officiel.

c) Dans les antiquités sémitique et gréco-romaine, certains peuples ont toujours manifesté une méfiance extrême à l'égard de tous les produits de la vigne, le verjus, la vrille et jusqu'à la peau des raisins (Diodore de Sicile, XIX, 94).

ne mange rien d'impur, et qu'il observe tout ce que j'ai prescrit à cette femme. » [15] Manoah dit alors à l'Ange de Yahvé : « Permets que nous te retenions et que nous t'apprêtions un chevreau[a]. » [16b] Car Manoah ne savait pas que c'était l'Ange de Yahvé[b]. [16a] Et l'Ange de Yahvé dit à Manoah : « Quand bien même tu me retiendrais, je ne mangerais pas de ta nourriture, mais si tu désires préparer un holocauste, offre-le à Yahvé. » [17] Manoah dit alors à l'Ange de Yahvé : « Quel est ton nom, afin que, lorsque ta parole sera accomplie, nous puissions t'honorer[c] ? » [18] L'Ange de Yahvé lui répondit : « Pourquoi t'informer de mon nom ? Il est mystérieux[d]. » [19] Alors Manoah prit le chevreau ainsi que l'oblation[e] et il l'offrit en holocauste, sur le rocher[f], à Yahvé qui opère des choses mystérieuses[g].

---

17. « *ta parole* » *Vers.*; « *tes paroles* » H.

19. « *qui opère des choses mystérieuses* » G *Vers.*; « *et il fit un prodige* » H qui ajoute « *à la vue de Manoah et de sa femme* », *dittographie de* 20[b].

---

a) Manoah offre l'hospitalité, mais soupçonnant que son interlocuteur est un personnage divin il emploie le verbe *'asâh* qui signifie également sacrifier, Lv **9** 7. L'ange répond en distinguant, il refuse la nourriture, mais il accepte le sacrifice. Le chevreau est l'animal sacrificiel par excellence, car dans l'indication du « petit bétail », Lv **1** 2; **3** 6, il faut comprendre ovins et caprins.

b) Il faut lire 16[b] avant 16[a].

c) Cf. Ex **3** 13; Nb **22** 17 s, 37 s; 1 S **9** 6; et aussi Nb **30** 17, 37.

d) Cf. Ps **139** 6. Comp. Gn **32** 29; Ex **3** 13-14; Is **29** 14 : « Je suis un être qui ne peut pas se faire connaître. » « Je suis », dans Ex **3** 14, n'est qu'un nom conventionnel à l'usage des adorateurs de Yahvé; car le nom (qui pour les anciens révèle la personnalité) est incapable de faire comprendre la personnalité de Dieu.

e) L'oblation des céréales devait nécessairement accompagner l'holocauste et le sacrifice de communion, Lv **7** 11-14; Nb **15** 28-29.

f) Vraisemblablement la roche avec cupules dont la base porte des traces de degrés et qui s'appelle Qala'at el-Mefarraze, un peu au sud de la route de Sar'a à 'Artouf.

g) Cf. **6** 24, l'autel de « Yahvé-Shalom ». Ici « Yahvé des mystères » ou des prodiges. Antique souvenir local, précieusement conservé par l'historien sacré.

²⁰ Comme la flamme montait de l'autel[a] vers le ciel, l'Ange de Yahvé monta dans cette flamme à la vue de Manoah et de sa femme et ils tombèrent la face contre terre. ²¹ L'Ange de Yahvé ne se montra plus désormais à Manoah ni à sa femme, et Manoah comprit alors que c'était l'Ange de Yahvé. ²² « Nous allons certainement mourir, dit Manoah à sa femme, car nous avons vu Dieu[b]. » — ²³ « Si Yahvé avait eu l'intention de nous faire mourir, lui répondit sa femme, il n'aurait accepté de notre main ni holocauste ni oblation, il ne nous aurait pas maintenant[c] instruits de toutes ces choses. » ²⁴ La femme mit au monde un fils et elle le nomma Samson[d]. L'enfant grandit, Yahvé le bénit, ²⁵ et l'esprit de Yahvé commença à l'agiter[e] au camp de Dan[f], entre Çoréa et Eshtaol[g].

Le mariage de Samson. **14.** ¹ Samson descendit à Timna[h] et il y remarqua une femme parmi les filles des

---

20. « *dans cette flamme* » G ; « *de la flamme de l'autel* » H.

23. « *il ne nous aurait pas instruits de* » lo' *hôrânû* G *Vers.* ; « *il ne nous aurait pas fait voir* » lo' *hèr'ânû* H, H et G ajoutent « *il ne nous aurait pas fait entendre* ».

---

a) Le rocher en forme d'autel.

b) Cf. Gn **16** 13 ; **32** 30 ; Ex **20** 19 ; **33** 20 ; Jg **6** 22 ; Is **6** 5. Manoah ne fait pas de distinction entre Dieu et son ange.

c) « maintenant » *hâ'ét* H. On propose la correction *kâ'ét ḥayyâh* « l'année suivante à pareille époque », en rattachant ces mots au v. 24, cf. Gn **18** 10, 14 ; 2 R **4** 16-17.

d) Samson, « le solaire ». Le nom, qui n'est même pas théophore, n'indique pas une appartenance spéciale à un culte ou à un mythe du soleil.

e) Cf. **3** 10 ; **6** 34 ; **11** 29.

f) Cette dénomination vient sans doute du temps où cette tribu n'avait pas de séjour fixe (**18** 1). Ce ne peut être que le point de départ de l'émigration des Danites entre Çoréa et Eshtaol.

g) Aujourd'hui Eshua au nord de 'Artoûf, dans la Shephela de Juda, à 4 km. à l'est de Sar'a. C'est de là que les Danites sont partis à la conquête de Laïs, Jos **15** 33 ; **14** 41 ; Jg **18** 2, 8, 11.

h) Aujourd'hui Kh. Tibna, à 4 km. au sud-est de 'Aïn Šemš, à la limite de Juda et à proximité de Bet-Shemesh. Elle avait appartenu à Dan, Jos **15** 10 ; **19** 43, mais à cette époque elle était retombée aux mains des Philistins.

Philistins. ² Il remonta et l'apprit à son père et à sa mère :
« J'ai remarqué à Timna, dit-il, parmi les filles des Philistins, une femme. Prends-la-moi donc pour épouse. »
³ Son père lui dit, ainsi que sa mère : « N'y a-t-il pas de
femme parmi les membres de ton clan et dans tout ton
peuple, pour que tu ailles prendre femme parmi ces Philistins incirconcis*ᵃ* ? » Mais Samson répondit à son père :
« Prends-la-moi, celle-là, car c'est celle-là qui me plaît. »
⁴ Son père et sa mère ne savaient pas que cela venait de
Yahvé qui cherchait un juste sujet de querelle avec les
Philistins, car, en ce temps-là, les Philistins dominaient sur
Israël.

⁵ Samson descendit à Timna et, comme il arrivait aux
vignes de Timna, il vit un jeune lion*ᵇ* qui venait à sa
rencontre en rugissant. ⁶ L'esprit de Yahvé fondit sur lui
et, sans rien avoir en main, Samson déchira le lion comme
on déchire un chevreau*ᶜ*; mais il ne raconta pas à son père
ni à sa mère ce qu'il avait fait. ⁷ Il descendit, s'entretint
avec la femme et elle lui plut. ⁸ A quelque temps de là,
Samson revint pour l'épouser. Il fit un détour pour voir le
cadavre du lion, et voici qu'il y avait dans la carcasse du
lion un essaim d'abeilles et du miel. ⁹ Il en recueillit dans
sa main et, chemin faisant, il en mangea. Lorsqu'il fut
revenu près de son père et de sa mère, il leur en donna, ils

---

14 2. « *Prends* » *conj. cf. v.* 3; « *Prenez* » *H.*
    3. « *parmi les membres de* » *litt.* « *dans la maison de* » bᵉbêt *G ;* « *parmi les
filles de* » bibᵉnôt *H.* — « *ton peuple* » *G Vers.*; « *mon peuple* » *H.*
    5. *Après* « *à Timna* » *H ajoute* « *avec son père et sa mère* ». *A supprimer,
cf. v.* 6. — « *comme il arrivait* » *G Vers.*; « *ils arrivaient* » *H.*

---

    a) Le père de Samson se réclame de la loi d'endogamie, toujours
valable en Orient. Gn **26** 35; **27** 46. — Le fait de n'avoir pas subi la
circoncision était considéré comme une « ignominie », Jos **5** 9; Jg **3** 6.
    b) Cf. Am **3** 4, 8, etc. Le lion est mentionné en Palestine jusqu'au
moyen âge.
    c) Comp. David, 1 S **17** 34. « L'esprit de Yahvé », cf. **13** 25.

en mangèrent, mais il ne leur dit pas qu'il l'avait recueilli dans la carcasse du lion. [10] Il descendit ensuite chez la femme[a] et on fit là à Samson une fête durant sept jours, car c'est ainsi qu'agissent les jeunes gens. [11] Mais, comme on le craignait, on choisit trente compagnons pour rester auprès de lui[b].

[12] Alors Samson leur dit :

L'énigme de Samson.   « Laissez-moi vous proposer une énigme. Si vous m'en donnez la solution au cours des sept jours de fête, je vous donnerai trente pièces de toile fine et trente vêtements d'honneur[c]. [13] Mais si vous ne pouvez pas me donner la solution, c'est vous qui me donnerez trente pièces de toile fine et trente vêtements d'honneur. » — « Propose ton énigme, lui répondirent-ils, nous écoutons. » [14] Il leur dit donc :

« De celui qui mange est sorti ce qui se mange,
et du fort est sorti le doux. »

Mais de trois jours ils ne réussirent pas à résoudre l'énigme.

---

10. « *Il* » (*Samson*) » *conj.*; « *son père* » H. — « *on fit là* (*pluriel*) » *conj.*; « *Samson donna un festin* » H. — « *durant sept jours* » G *Vers.*; *omis par* H.

11. « *comme on le craignait* » kᵉyir'âtâm G *Vers.*; « *quand ils le virent* » kir'ᵉôtâm H.

12. H *ajoute* « *et si vous la trouvez* »; *omis par* G *Vers.*

---

a) Exemple de ce mariage *musarrib,* encore en usage chez les Arabes modernes. La femme demeure dans la maison de son père, le mari ne paie pas le prix d'achat (*mohar*), mais il apporte un cadeau quand il vient voir sa femme, cf. **15** 1. Comp. le mariage de Gédéon à Sichem, **8** 31.

b) Les « compagnons de l'époux » existent encore dans le mariage syrien. Cf. Ct **3** 7; Mc **2** 19; Mt **9** 15; Lc **5** 34; Jn **3** 20. C'est à eux qu'il appartenait de rendre la fête plus brillante. Comp. les paranymphes dans l'antiquité grecque. Ici on se méfie de l'étranger et les « amis » sont plutôt des compagnons chargés de surveiller discrètement Samson.

c) Cf. Gn **45** 22; 2 R **5** 5, 21, 23; Is **3** 23; Pr **31** 24.

¹⁵ Au quatrième jour ils dirent à la femme de Samson[a] : « Enjôle ton mari pour qu'il te donne le mot de l'énigme, autrement nous te brûlerons, toi et la maison de ton père. Est-ce pour nous dépouiller que vous nous avez invités ici ? » ¹⁶ Alors la femme de Samson pleura à son cou : « Tu n'as pour moi que de la haine, disait-elle, tu ne m'aimes pas. Tu as proposé une énigme aux fils de mon peuple, et à moi, tu ne l'as pas expliquée. » Il lui répondit : « Je ne l'ai même pas expliquée à mon père et à ma mère, et à toi je l'expliquerais ! » ¹⁷ Elle pleura à son cou pendant les sept jours que dura leur fête. Le septième jour, il lui donna la solution, car elle l'avait obsédé, mais elle, elle donna le mot de l'énigme aux fils de son peuple.

¹⁸ Le septième jour, avant qu'il n'entrât dans la chambre à coucher, les gens de la ville dirent donc à Samson :

« Qu'y a-t-il de plus doux que le miel,
et quoi de plus fort que le lion ? »

Il leur répliqua :

« Si vous n'aviez pas labouré avec ma génisse,
vous n'auriez pas deviné mon énigme[b]. »

¹⁹ Alors l'esprit de Yahvé fondit sur lui, il descendit à Ashqelôn[c], y tua trente hommes, prit leurs dépouilles et

---

15. « *Au quatrième* » hâr⁻bî'î *G Vers.*; « *Au septième* » hašš⁻bî'î *H.* — « *qu'il te donne* » *conj.*; « *qu'il nous donne* » *H.*
18. « *qu'il n'entrât dans la chambre à coucher* » yabo' haḥadrâh *G et* 15 1; « *que le soleil ne fût couché* » yabo' haḥarsâh *H.*

a) Le mariage avait lieu au premier jour des noces. Gn 29 22-28.
b) A noter la rime dans ces vers hébraïques. Elle est rare en hébreu. Le sens est : vous vous êtes servi de ce qui m'appartient pour faire votre propre travail.
c) Ashqelôn, **1** 18, l'une des cinq métropoles philistines, aujourd'hui Kh. 'Asqalân. N'a pour ainsi dire jamais eu aucun contact avec Israël.

remit les vêtements d'honneur à ceux qui avaient expliqué
l'énigme, puis, enflammé de colère, il remonta à la maison
de son père. [20] La femme de Samson fut alors donnée au
compagnon qui lui avait servi de garçon d'honneur[a].

15. [1] A quelque temps de
là, à l'époque de la moisson

**Samson
brûle les moissons
des Philistins.**

des blés[b], Samson s'en vint
revoir sa femme; il lui appor-
tait un chevreau et il déclara :
« Je veux entrer auprès de ma femme, dans sa chambre. »
Mais le beau-père ne le lui permit pas. [2] « Je me suis dit,
lui objecta-t-il, que tu l'avais prise en aversion et je l'ai
donnée à ton compagnon. Mais sa sœur cadette ne vaut-
elle pas mieux qu'elle ? Qu'elle soit tienne à la place de
l'autre ! » [3] Samson leur répliqua : « Cette fois-ci, je ne
serai quitte envers les Philistins qu'en leur faisant du mal. »
[4] Samson s'en alla donc, il captura trois cents renards[c],
prit des torches et, tournant les bêtes queue contre queue,
il plaça une torche entre les deux queues, au milieu. [5] Il
mit le feu aux torches, puis lâchant les renards dans les
moissons des Philistins, il incendia aussi bien les gerbes
que le blé sur pied et même les vignes et les oliviers[d].

[6] Les Philistins demandèrent : « Qui a fait cela ? » et l'on
répondit : « C'est Samson, le gendre du Timnite, car celui-
ci lui a repris sa femme et l'a donnée à son compagnon. »
Alors les Philistins montèrent et ils firent périr dans les

---

15 5. « *les vignes et les oliviers* » G *Vulg* ; « *vignes, oliviers* » *ou* « *vignes (plan-
tations ?) d'oliviers* » H.

---

a) Litt. « au compagnon qui lui avait servi d'ami ». Le premier des
garçons d'honneur est appelé l'ami de l'époux. Jn **3** 29.

b) La moisson a lieu de la mi-mai à la mi-juin.

c) Des renards ou peut-être des chacals. Ps **63** 11.

d) En 1936, au cours de la guerre judéo-arabe, les Juifs de Palestine ont
été l'objet d'une semblable attaque de la part des Arabes.

flammes cette femme et sa famille. ⁷ « Puisque c'est ainsi
que vous agissez, leur dit Samson, eh bien ! je ne cesserai
qu'après m'être vengé de vous. » ⁸ Il les battit à plate cou-
ture^a et ce fut une défaite considérable. Après quoi il descendit à la grotte du rocher d'Étam^b et y demeura.

La mâchoire d'âne. ⁹ Les Philistins montèrent
camper en Juda et ils firent
une incursion à Lehi^c.

¹⁰ « Pourquoi êtes-vous montés contre nous ? » leur dirent
alors les gens de Juda^d. « C'est pour lier Samson que nous
sommes montés, répondirent-ils, pour le traiter comme il
nous a traités. » ¹¹ Trois mille hommes de Juda descendirent à la grotte du rocher d'Étam et dirent à Samson :
« Ne sais-tu pas que les Philistins sont nos maîtres ?
Qu'est-ce que tu nous as fait là ? » Il leur répondit :
« Comme ils m'ont traité, je les ai traités. » ¹² Ils lui
dirent alors : « Nous sommes descendus pour te lier, afin
de te livrer aux mains des Philistins. » — « Jurez-moi,
leur dit-il, que vous ne me tuerez pas vous-mêmes. » —
¹³ « Non ! lui répondirent-ils, nous voulons seulement te
lier et te livrer entre leurs mains, mais nous ne voulons
certes pas te faire mourir. » Alors ils le lièrent avec deux
cordes neuves et ils le hissèrent du rocher.

---

6. « *et sa famille* », *litt.* « *et la maison de son père* » *G Vers.*; « *et son père* » *H.*

---

a) Litt. « cuisse sur hanche ». C'est l'expression anglaise « heels over
head », elle correspond à l'expression vulgaire « cul par-dessus tête ».
b) Aujourd'hui 'Araq Isma'în, au débouché du ouadi es-Sarar, dans la
direction de 'Artoûf. On ne peut y accéder que par le haut de la montagne
en se laissant glisser le long d'une difficile rainure du roc; cf. v. 13.
c) Lehi, 2 S **23** 11, peut-être 'Aîn Beit 'Atab.
d) Les gens de Juda sont soumis aux Philistins. Aucune solidarité
nationale n'existe entre les différentes tribus, mais la suite du récit montre
cependant que Samson et les Judéens se reconnaissent comme appartenant
à un même peuple. On sent des deux côtés le désir de se ménager mutuel-
lement.

¹⁴ Comme il arrivait à Lehi et que les Philistins accouraient à sa rencontre avec des cris de triomphe, l'esprit de Yahvé fondit sur Samson, les cordes qu'il avait sur les bras furent comme des fils de lin brûlés au feu et les liens semblèrent avoir fondu de ses mains. ¹⁵ Avisant une mâchoire d'âne encore fraîche, il étendit la main, la ramassa et avec elle il abattit mille hommes. ¹⁶ Samson dit alors :

« Avec une mâchoire de rosse, je les ai bien rossés.
Avec une mâchoire d'âne, j'ai battu mille hommes. »

¹⁷ Quand il eut fini de parler, il jeta loin de lui la mâchoire : c'est pourquoi on a donné à cet endroit le nom de Ramat-Lehi[a]. ¹⁸ Comme il souffrait d'une soif ardente, il invoqua Yahvé en disant : « C'est toi qui as opéré cette grande victoire par la main de ton serviteur, et maintenant, faudra-t-il que je meure de soif et que je tombe aux mains des incirconcis ? » ¹⁹ Alors Dieu fendit le bassin[b] qui est à Lehi et il en sortit de l'eau. Samson but, ses esprits lui revinrent[c] et il se ranima. C'est pourquoi on a donné le nom de En-haq-Qoré[d] à cette source, qui existe encore à Lehi. ²⁰ Samson fut juge en Israël à l'époque des Philistins, pendant vingt ans[e].

---

16. « *je les ai bien rossés* » G *VetLat d'après* ḥâmar « *traiter en âne, rosser* »; « *un âne, deux ânes* » H.

---

a) Ramat-Lehi : le monceau, la hauteur de Lehi; mais, avec un jeu de mots : le jet de la mâchoire.

b) Le mot dans Pr **27** 22 signifie un mortier, donc, d'une façon générale, une cavité circulaire. So **1** 11. Il est impossible de traduire « l'alvéole de la mâchoire », car *lehi* est ici un nom de lieu.

c) Litt. son *rûaḥ*, c'est-à-dire sa force vitale, Gn **41** 8; **45** 27; 1 S **30** 12; 1 R **21** 5.

d) '*ên haqqôré*', « la source de celui qui invoque », mais beaucoup plus naturellement, « la source de la perdrix », 1 S **26** 20; Jr **17** 11.

e) Cf. **16** 31.

16. [1] De là Samson se rendit à Gaza[a]; il y vit une prostituée et il entra chez elle. [2] On fit savoir aux gens de Gaza : « Samson est venu ici. » Ils firent des rondes et le guettèrent à la porte de la ville. Toute la nuit ils se tinrent tranquilles. « Attendons, pensaient-ils, jusqu'au point du jour, et nous le tuerons[b]. » [3] Mais Samson resta couché jusqu'au milieu de la nuit et, au milieu de la nuit, se levant, il saisit les battants de la porte de la ville, ainsi que les deux montants, il les arracha avec la barre et, les chargeant sur ses épaules, il les porta jusqu'au sommet de la montagne qui est vis-à-vis d'Hébron et il les y déposa[c].

L'épisode des portes de Gaza.

[4] Après cela il s'éprit d'une femme de la vallée de Soreq[d] qui se nommait Dalila[e]. [5] Les princes des Philistins allèrent la trouver et lui dirent : « Séduis-le et sache d'où vient sa

Samson trahi par Dalila.

---

16 1. « *De là* » (ou « *Après cela* ») G Vers.; omis par H.
   2. « *On fit savoir* » d'après G ; omis par H. — *Après* « *Ils firent des rondes* » H ajoute « *toute la nuit* » comme à la phrase suivante; d'après le sens on supprime le premier kol-hallaylâh.
   3. « *et il les y déposa* » G ; omis par H.

---

a) L'une des cinq métropoles de la Philistie.
   b) Le primitif animiste regarde le sommeil comme un état mystérieux dont il ne convient pas de tirer brutalement le dormeur et c'est pourquoi il s'abstient autant que possible d'agir la nuit. Ex 14 20; I S 19 11.
   c) Samson enlève d'un seul bloc la porte, c'est-à-dire les deux battants, les deux montants, avec la barre de fermeture. Hébron étant à 70 km. de Gaza, il faut sans doute comprendre une colline quelconque à l'est de la ville et dans la direction d'Hébron.
   d) Petite vallée qui aboutit au ouadi es-Sarar; une ruine, Kh. Sûriq s'y trouve à 4 km. ouest-nord-ouest de Çoréa. Son nom lui vient peut-être des raisins que produisait la région, Gn 49 11; Is 5 2; Jr 2 21.
   e) Dalila, « l'indicatrice » et « l'amante menteuse » d'après l'arabe *dalla* et *dalil,* si bien que l'on est en droit de se demander si ce nom n'est pas en réalité un surnom, donné à cette femme par suite de son rôle auprès de Samson.

force extraordinaire[a], par quel moyen nous pourrions nous rendre maîtres de lui et le lier pour le réduire à l'impuissance. Quant à nous, nous te donnerons chacun onze cents sicles d'argent. »

[6] Dalila dit à Samson : « Apprends-moi, je te prie, d'où vient que ta force est si grande et avec quoi il faudrait te lier pour te dompter. » [7] Samson lui répondit : « Si on me liait avec sept cordes d'arc fraîches et qu'on n'aurait pas encore fait sécher, je perdrais ma vigueur et je deviendrais comme un homme ordinaire. » [8] Les princes des Philistins apportèrent à Dalila sept cordes d'arc fraîches qu'on n'avait pas encore fait sécher et elle s'en servit pour le lier. [9] Elle avait des gens embusqués dans sa chambre et elle lui cria : « Les Philistins sur toi, Samson ! » Il rompit les cordes d'arc comme se rompt un cordon d'étoupe lorsqu'il sent le feu. Ainsi le secret de sa force demeura inconnu.

[10] Alors Dalila dit à Samson : « Tu t'es joué de moi et tu m'as dit des mensonges. Mais maintenant fais-moi connaître, je te prie, avec quoi il faudrait te lier. » [11] Il lui répondit : « Si on me liait fortement avec des cordes neuves qui n'ont jamais servi, je perdrais ma vigueur et je deviendrais comme un homme ordinaire. » [12] Alors Dalila prit des cordes neuves, elle s'en servit pour le lier et lui cria : « Les Philistins sur toi, Samson ! » Elle avait des gens embusqués dans sa chambre, mais il rompit comme un fil les cordes qu'il avait aux bras.

---

a) Pour les primitifs, l'origine de cette vigueur extraordinaire ne peut être qu'un *mana* qui demeure soumis à des forces magiques, et c'est pourquoi Samson indique en fait des recettes magiques pour la détruire; sept cordes d'arc fraîches, des cordes qui n'ont pas servi, le tissage de sa chevelure sur une chaîne de métier à tisser. Au v. 17 il indique enfin l'origine surnaturelle de sa force; mais pour l'antiquité, surnaturel et magique sont en quelque sorte connaturels. Cette fois Dalila comprend que Samson lui a dit la vérité et c'est pourquoi les chefs des Philistins viennent « l'argent en main ».

¹³ Alors Dalila dit à Samson : « Jusqu'à présent tu t'es
joué de moi et tu m'as dit des mensonges. Apprends-moi
avec quoi il faudrait te lier. » Il lui répondit : « Si tu tissais
les sept tresses de ma chevelure avec la chaîne du tissu, et
si tu enfonçais le piquet, je perdrais ma force et deviendrais comme un homme ordinaire. » ¹⁴ Elle l'endormit,
puis elle tissa les sept tresses de sa chevelure avec la
chaîne, elle enfonça le piquet et lui cria : « Les Philistins sur toi, Samson ! » Il s'éveilla de son sommeil et
arracha la pièce et le piquet. Ainsi le secret de sa force
demeura inconnu.

¹⁵ Dalila lui dit : « Comment peux-tu dire que tu
m'aimes, alors que ton cœur n'est pas avec moi ? Voilà
trois fois que tu te joues de moi et tu ne m'as pas fait
connaître d'où vient que ta force est si grande. » ¹⁶ Comme
tous les jours elle le poussait à bout par ses instances et
qu'elle le harcelait, il fut excédé à en mourir. ¹⁷ Il lui ouvrit
tout son cœur : « Le rasoir n'a jamais passé sur ma tête,
lui dit-il, car je suis nazir de Dieu depuis le sein de ma
mère. Si on me rasait, alors ma force se retirerait de moi,
je perdrais ma vigueur et je deviendrais comme tous les
hommes. » ¹⁸ Dalila comprit alors qu'il lui avait ouvert
tout son cœur, elle fit appeler les princes des Philistins et
leur dit : « Venez cette fois, car il m'a ouvert tout son
cœur. » Et les princes des Philistins vinrent chez elle,
l'argent en main. ¹⁹ Elle endormit Samson sur ses genoux,
et elle appela un homme qui rasa les sept tresses de che-

---

13 *et* 14 *corrigés et complétés d'après les versions. Le texte est d'autant plus
difficile à traduire qu'on ignore le sens précis des termes techniques employés.* —
« *Ainsi le secret de sa force demeura inconnu* » G *et* v. 9; *omis par* H.

18. « *vinrent* » *plusieurs Mss hébreux* ; « *venaient* » H.

19. « *qui rasa* » G *Vulg* ; « *et elle rasa* » H. — « *il commença à perdre sa
vigueur* » wayyâḫèl léʿânôt G *Vers.*; « *elle commença à le maltraiter* » wattâḫèl
léʿannôtô H.

veux de sa tête. Alors il commença à perdre sa vigueur et sa force se retira de lui. [20] Elle cria : « Les Philistins sur toi, Samson ! » S'éveillant de son sommeil il se dit : « J'en sortirai comme les autres fois et je me dégagerai. » Mais il ne savait pas que Yahvé s'était détourné de lui[a]. [21] Les Philistins se saisirent de lui, ils lui crevèrent les yeux[b] et le firent descendre à Gaza. Ils l'enchaînèrent avec une double chaîne d'airain et il tournait la meule dans la prison[c].

Vengeance et mort de Samson.

[22] Cependant, après qu'elle eut été rasée, la chevelure se mit à repousser. [23] Les princes des Philistins se réunirent pour offrir un grand sacrifice à Dagôn, leur dieu[d], et se livrer à des réjouissances[e]. Ils disaient :

« Notre dieu a livré entre nos mains
Samson, notre ennemi. »

[24] Dès que le peuple vit son dieu, il poussa une acclamation[f] en son honneur et dit :

---

a) Cf. 1 S **16** 14. Yahvé, c'est-à-dire l'esprit de Yahvé, se retire de lui, non pas en raison de l'ablation de sa chevelure, mais du fait de la violation du vœu de naziréat. Cf. v. 28.

b) Comp. Sédécias, 2 R **25** 7; Jr **52** 11 G; Hérodote, IV, 2.

c) Dans l'antiquité gréco-romaine les esclaves étaient souvent condamnés à tourner la meule.

d) Cf. 1 S **5** 2 s; 1 M **10** 84; **11** 4. Divinité amorite, protectrice du blé (hébr. *dâgân*), adoptée par les Philistins et plus tard identifiée faussement avec une divinité à corps de poisson (*dâg*). Ses temples principaux se trouvaient à Ashdod et à Gaza, mais son culte semble avoir été très répandu dans la région. Jos **15** 41; **19** 27.

e) Avec festin religieux et sacrifice de communion.

f) C'est la pratique de l'antiquité sémitique à l'égard des effigies d'un dieu lors d'une ostension solennelle. Cf. la formule des psaumes : « Hal°lû Yâh. Acclamez Yahvé », Ps **104** 35; **106** 1, 48, etc., où il s'agit de processions solennelles. Par cette formule des lévites invitaient le peuple à saluer Yahvé, Ex **32** 6, 17-18; 1 S **4** 5-6; Lm **2** 7; Esd **3** 11-13; Ne **12** 43; Za **4** 7. La pratique s'est conservée dans le *tahlil* arabe.

« Notre dieu a livré entre nos mains
Samson notre ennemi,
celui qui dévastait notre pays
et qui multipliait nos morts[a]. »

²⁵ Et comme leur cœur était en joie, ils s'écrièrent : « Faites venir Samson pour qu'il nous amuse[b] ! » On fit donc venir Samson de la prison et il fit des jeux devant eux, puis on le plaça debout entre les colonnes. ²⁶ Samson dit alors au jeune garçon qui le menait par la main : « Conduis-moi et fais-moi toucher les colonnes sur lesquelles repose l'édifice, que je m'y appuie. » ²⁷ Or l'édifice[c] était rempli d'hommes et de femmes. Il y avait là tous les princes des Philistins et, sur le toit, environ trois mille hommes et femmes qui regardaient les jeux de Samson. ²⁸ Samson invoqua Yahvé et il s'écria : « Seigneur Yahvé, je t'en prie, souviens-toi de moi, donne-moi des forces encore cette fois et que, d'un seul coup, je me venge sur les Philistins pour mes deux yeux[d]. » ²⁹ Et Samson tâta les deux colonnes du milieu sur lesquelles reposait l'édifice, il s'arc-bouta contre elles, contre l'une avec son bras droit, contre l'autre avec son bras gauche, ³⁰ et il s'écria : « Que je périsse avec les Philistins ! » Il poussa de toutes ses forces et l'édifice s'écroula sur les princes et sur tout le peuple qui se trouvait

---

24. « *Samson* » *ajouté d'après le rythme et v.* 23; *omis par H.*
28. *Après* « *encore cette fois* » *H ajoute* « *ô Dieu* »; *omis par G.*

---

a) Poésie rimée.
b) Par des jeux quelconques, cf. v. 27.
c) Cet édifice n'est pas le temple de Dagôn, car la cella du dieu et les bâtiments attenants étaient toujours de petite dimension; ce ne peut être qu'une salle voisine assez vaste et où les fidèles se réunissaient pour consommer les restes des victimes offertes en sacrifice, Jg **9** 46; 1 S **1** 9; **9** 22.
d) Samson attribue lui-même sa force à Yahvé. Prière humble et confiante, mais dans la mentalité de l'époque.

là. Ceux qu'il fit périr en mourant furent plus nombreux que ceux qu'il avait fait périr pendant sa vie. ³¹ Ses frères et toute la maison de son père descendirent et l'emportèrent. Ils l'emmenèrent et l'ensevelirent entre Çoréa et Eshtaol*ᵃ* dans le tombeau de Manoah son père. Il avait jugé Israël pendant vingt ans *ᵇ*.

APPENDICES

I. LE SANCTUAIRE DE MIKA ET LE SANCTUAIRE DE DAN*ᶜ*

Le sanctuaire privé de Mika.	**17.** ¹ Il y avait dans la montagne d'Éphraïm un homme appelé Mikayehu*ᵈ*. ²ᵃ Il dit à sa mère : « Les onze

---

a) Le tombeau de Samson se localise au wély Cheikh Gharib.

b) Cf. **15** 20.

c) Ce récit, incontestablement très ancien, donne une idée exacte de l'anarchie qui régnait à cette époque en Israël. « En ce temps-là il n'y avait pas de roi en Israël et chacun faisait ce qui lui plaisait. » Cf. **18** 6 et aussi **18** 1, 31; **19** 1; **21** 25. La conclusion sur les abus qui envahissent le Yahvisme se trouve dans 1 S 3 1 : « La parole de Yahvé était rare en ce temps-là et la vision n'était pas fréquente. » Telle est l'idée essentielle qui se dégage de ce récit. Par ailleurs les Sémites n'ont jamais admis que la seule volonté de l'homme puisse établir un sanctuaire, avec la sainteté qui lui est inhérente : il faut une théophanie ou du moins un fait interprété comme une manifestation divine. Rien de semblable dans la fondation du sanctuaire de Mika ou de celui de Dan. D'où un blâme discret, mais caractéristique, contre ce lieu du culte schismatique de Jéroboam (1 R **12** 28-30).

Il est possible que deux récits aient été fondus en un seul ou qu'un récit primitif ait reçu des compléments d'une certaine importance. Dans sa teneur actuelle, l'appendice manifeste une discrète hostilité au royaume du Nord et une préférence pour la royauté davidique : les abus de toutes sortes qui l'ont précédée montrent qu'elle est le moyen le plus sûr de garder la fidélité à Yahvé.

Mais en racontant la fondation de deux sanctuaires particuliers, l'auteur sacré souligne aussi avec force qu'au-dessus de tous ces particularismes de tribus et de clans, Yahvé s'impose comme un Dieu national et indiscuté. Le

cents sicles d'argent qu'on t'a pris et au sujet desquels tu
as proféré une malédiction[a], en ajoutant, je l'ai entendu
de mes propres oreilles : [3b] ' Je déclare solennellement
consacrer cet argent à Yahvé, et cela de moi-même[b],
pour en faire une image taillée (et une idole de métal

---

17 2 et 3. *Ces vv. semblent avoir été bouleversés. La restitution adoptée est
celle de Moore, suivi par Lagrange. Peut-être faudrait-il supprimer* ûmassékâh
« *et une idole de métal fondu* » *qui ne se retrouve pas en* **18** 20-21 *et qui est déplacé
dans* **18** 17-18. — « *solennellement* » lᵉbaddî *G VetLat ;* « *à mon fils* » libᵉnî *H.*

---

sanctuaire de Mika est un temple de Yahvé et c'est Yahvé que l'on y
consulte. C'est par Yahvé que la mère bénit son fils. Le nom de Mika
désigne un adorateur fervent de Yahvé; il se targue des bénédictions
divines parce qu'il a pour prêtre un lévite authentique. C'est un lévite,
c'est-à-dire un propagateur et un défenseur par excellence du culte de
Yahvé, que les Danites recherchent. Ce lévite appartient à la famille de
Moïse. Il n'est nulle part chez lui, mais partout où il passe, il y est en
qualité de *gér* (cf. p. 118, note *f*). Tout cela demeure conforme à la
meilleure tradition hébraïque.

A quelle date placer la migration des Danites ? D'après **18** 1, ils n'ont pas
de territoire. Dans **1** 34, les Amorites refoulent les fils de Dan vers la
montagne, mais ceci semble bien correspondre à Jos **19** 47-48, et à l'épisode
de Jos **17** 14-18 où un clan d'Éphraïmites s'en va chercher outre-Jourdain
un territoire. Nous serions au début de la période des Juges. La migration
des Danites n'aurait pas été la seule et les tribus d'Israël auraient eu
quelque peine à trouver leur assiette.

Ces difficultés d'établissement auront certainement contribué à entretenir
entre les différents clans d'Israël une atmosphère de jalousie et d'animosité.
Pour créer l'unité il fallait les attaques des ennemis du dehors, Jg **3** 1.
Mais l'unité religieuse dans l'adoration de Yahvé a contribué pour une
large part à fonder l'unité politique.

d) Mikayehu, « qui est comme Yahvé ? », abrégé partout ailleurs en
Mika. Cet homme est fervent yahviste, comme l'indiquent et son nom et
la suite du récit. A cette époque, et pour longtemps encore, le père de
famille et les chefs exerçaient eux-mêmes les principales fonctions du culte,
Jg **6** 18-24, 25-27; **11** 31-39; **13** 19; 1 S **7** 9, 10, 17; **13** 9-12; 2 S **6** 13,17, 18;
24 25. Les lévites servaient pour la consultation des sorts, l'application de
celles des antiques décisions qui avaient été déjà codifiées et la pratique des
rites traditionnels. Pour la formule d'introduction, cf. **13** 2; 1 S **1** 1.

a) La malédiction, une fois proférée, ne peut plus être arrêtée, cf. Za **5**
3-4; Lv **5** 1; Pr **29** 24, et c'est pourquoi la mère va en quelque sorte la
neutraliser par une bénédiction, v. 2ᵉ. Cf. Ex **12** 32; Dt **29** 19; 1 S **23** 21;
2 S **21** 3; 1 R **2** 33, 44-45.
b) Ainsi l'argent devient sacré, et l'employer pour un usage profane
expose à la malédiction divine.

fondu*a*)', ^{2b} eh bien ! cet argent, je l'ai ; c'est moi qui l'ai pris, ^{3c} et maintenant je te le rends. » ^{2c} Sa mère répondit : « Que mon fils soit béni de Yahvé ! » ^{3a} Et Mikayehu lui rendit onze cents sicles d'argent.

⁴ Alors sa mère prit deux cents sicles d'argent et les remit au fondeur. Celui-ci en fit une image taillée (et une idole de métal fondu), qui fut placée dans la maison de Mikayehu. ⁵ Cet homme lui construisit un sanctuaire*b*, puis il fabriqua un éphod*c* et des téraphim*d*, et il donna l'investiture*e* à l'un de ses fils pour lui servir de prêtre. ⁶ En ce temps-là il n'y avait pas de roi en Israël et chacun faisait ce qui lui plaisait.

⁷ Il y avait un jeune homme de Bethléem en Juda*f*, du

---

4. *H ajoute au début* « et il rendit l'argent à sa mère », *dittographie empruntée à 3*ª.

5. « *construisit* » bânâ *conj.* ; « *Mika* » H.

---

a) D'après le sens primitif *pésél* signifierait l'« image taillée » ou sculptée de bois ou de pierre, d'où l'idole. *Massékâh* désigne l'idole de métal fondu. « et une idole de métal fondu » peut être une glose postérieure (voir note critique). Il se pourrait également que cette idole soit l'image d'un taureau, symbole de Yahvé, 1 R **12** 28.

b) Litt. « une maison de Dieu ». C'est un sanctuaire privé comme dans **6** 3, 11-25 ; **8** 27 ; 1 S **7** 1 ; 2 S **6** 3, 10-12, mais qu'aucune théophanie ne justifie.

c) Cf. **8** 27.

d) Malgré sa forme plurielle, ce terme doit signaler un seul objet, 1 S **19** 13, vraisemblablement une idole domestique. Cf. Gn **31** 19-35. D'abord tolérés, cf. **18** 14 et 20 ; 1 S **19** 13-16, les téraphim ont fini par être proscrits, 1 S **15** 23 ; 2 R **23** 24 ; Os **3** 5. Peut-être ici éphod et téraphim désignent-ils des instruments servant à la divination, cf. 1 S **15** 23 ; Os **3** 4 ; Ez **21** 26 ; Za **10** 2.

e) Litt. « il remplit les mains ». Le rite essentiel de la considération sacerdotale chez les Hébreux consistait à déposer entre les mains du prêtre des portions de la victime pour qu'il les offre à Dieu. Cf. Ex **29** ; **40** 12-15 ; Lv **8** 27 s. Pratiquement l'ancien usage autorisait les chefs de clan et de famille à remplir eux-mêmes l'office de prêtre et à choisir leurs prêtres. La suite du récit montre cependant que le privilège des lévites était reconnu et présentait le caractère d'un Yahvisme ancien et authentique. Josias le remit en vigueur.

f) Appartenance territoriale et non pas tribale. La tradition sur Lévi,

clan de Juda, qui était lévite et résidait là comme étranger. [8] Cet homme quitta la ville de Bethléem en Juda, pour aller s'établir là où il pourrait. Au cours de son voyage, il arriva dans la montagne d'Éphraïm à la maison de Mika[a]. [9] Mika lui demanda : « D'où viens-tu ? » — « Je suis lévite de Behtléem en Juda, lui répondit l'autre. Je voyage afin de m'établir là où je pourrai. » — [10] « Fixe-toi chez moi, lui dit Mika, sois pour moi un père[b] et un prêtre et je te donnerai dix sicles d'argent par an, l'habillement et la nourriture », et il insista auprès du lévite. [11] Le lévite consentit à se fixer chez cet homme et le jeune homme fut pour lui comme l'un de ses fils. [12] Mika donna l'investiture au lévite; le jeune homme devint son prêtre et il demeura dans la maison de Mika. [13] « Et maintenant, dit Mika, je sais que Yahvé me fera du bien, puisque j'ai ce lévite pour prêtre[c]. »

**Les Danites
à la recherche
d'un territoire.**

18. [1] En ce temps-là il n'y avait pas de roi en Israël.

Or, en ce temps-là, la tribu de Dan cherchait un territoire pour y habiter, car, jus-

---

10. « *et il insista auprès du lévite* » wayyâ'éş balléwî *Vers.*; « *le lévite alla* » wayyélèk halléwî *H.*

Gn **49** 5-7, est trop fortement affirmée pour pouvoir être mise en doute. L'incise « du clan de Juda » est d'ailleurs assez mal attestée. Ce jeune homme est un lévite, donc descendant de la tribu de Lévi, mais par Moïse, **18** 30. Le lévite d'Éphraïm (**19**) est lui aussi un *gér*. Le *gér* est ici, non pas l'étranger proprement dit, mais l'Israélite transplanté dans une autre tribu et qui s'est mis, pour subsister, sous la protection d'un chef ou d'une famille. Cf. Dt **12** 12, 18-19.

a) Probablement sur la grand'route de Jérusalem à Sichem.

b) Titre d'honneur, Gn **45** 8; 2 R **2** 12; **5** 13; **6** 21; mais qui peut exprimer en même temps une relation spirituelle.

c) Mika est de bonne foi. Pour lui la coutume l'emporte sur une loi, peut-être d'ailleurs mal connue. Il est yahviste, il a pour les cérémonies un lévite authentique, dans ces conditions Dieu ne peut que le bénir, cf. 2 S **6** 12.

qu'à ce jour, il ne lui était pas échu de territoire parmi les
tribus d'Israël[a]. [2] Les Danites envoyèrent de leur clan[b]
cinq hommes vaillants de Çoréa et d'Eshtaol pour reconnaître le pays et l'explorer. Ils leur dirent : « Allez explorer
le pays. » Les cinq hommes arrivèrent dans la montagne
d'Éphraïm jusqu'à la maison de Mika et ils y passèrent la
nuit. [3] Comme ils étaient près de la maison de Mika, ils
reconnurent la voix du jeune lévite[c] et, s'approchant de là,
ils lui dirent : « Qui t'a fait venir ici ? Qu'y fais-tu ? Et
qu'est-ce que tu as ici ? » [4] Il leur répondit : « Mika a fait
pour moi telle et telle chose. Il m'a pris à gages et je lui
sers de prêtre. » — [5] « Consulte donc Dieu, lui répli-
quèrent-ils, afin que nous sachions si le voyage que nous
entreprenons réussira. » — [6] « Allez en paix, leur répondit
le prêtre, le voyage que vous entreprenez est sous le
regard de Yahvé[d]. » [7] Les cinq hommes partirent donc et
ils arrivèrent à Laïs[e]. Ils virent que les gens qui l'habitaient

---

18 2. *Après « de leur clan cinq hommes »* H *ajoute « de leurs extrémités des
hommes »* H.

 5. *« si (notre voyage) réussira »* G *; « si (notre voyage) fera réussir »* H.

---

 a) Cf. Jos **9** 40 s. Le territoire de Dan s'étendait à l'ouest de celui de
Benjamin et au nord-ouest de celui de Juda. Jg **1** 34, 36 rapporte que les
Amorites repoussèrent Dan dans la partie montagneuse du pays. Se sentant
à l'étroit la tribu émigra dans l'extrême Nord du pays où elle s'empa-
rera de Laïs. La migration a dû se faire au début de l'installation des
Israélites en Palestine, puisqu'elle est déjà mentionnée dans le cantique
de Débora (**5** 17). Cependant d'après le v. 11, des Danites étaient restés
dans la région de Çoréa et d'Eshtaol. Samson était de cette contrée (**13** 2).
Cf. 1 Ch **2** 53.

 b) Ce n'est plus une tribu, mais un clan, *mišpaḥâh*.

 c) Connaissance personnelle, 1 S **26** 17. Le lévite était donc passé chez
eux.

 d) Les Danites profitent de la rencontre pour obtenir du lévite
une consultation sur l'avenir. Cf. Gn **24** 42. La réponse est ambiguë.
Cf. Ps **33** 18-19; Jr **17** 16; Lm **2** 19; Ez **14** 7; Pr **5** 21.

 e) *Laïš* ou *Léšem*, « le lion », appelé plus tard Dan, aujourd'hui Tell el-

vivaient en sécurité, à la manière des Sidoniens, tranquilles
et confiants, que rien n'y manquait de ce que produit la
terre, qu'ils étaient éloignés des Sidoniens et sans relations
avec les Araméens. [8] Ils s'en revinrent alors vers leurs
frères, à Çoréa et à Eshtaol, et ceux-ci leur demandèrent :
« Que nous rapportez-vous ? » — [9] « Nous sommes allés,
et nous avons parcouru le pays jusqu'à Laïs. Nous avons
vu que les gens qui l'habitent demeurent en sécurité, à la
manière des Sidoniens. Ils sont éloignés de Sidon et n'ont
pas de relations avec Aram. Debout ! et marchons contre
eux[a], car nous avons vu le pays et il est excellent. Mais
vous, pourquoi demeurez-vous sans rien dire ? N'hésitez
pas à partir pour Laïs afin de conquérir le pays. [10] En
arrivant, vous trouverez un peuple sans défense. Le pays
est étendu : Dieu a mis entre vos mains un lieu où rien ne
manque de ce que l'on peut avoir sur la terre. »

La migration des Danites.	[11] Ils partirent donc de là, du clan des Danites, de Çoréa et d'Eshtaol, six cents hommes armés en guerre.

7. « *les gens qui l'habitaient* » G ; « *habitant* » (*au féminin*) H. — « *rien n'y manquait* » w⁽ᵉ⁾ên maḥṣôr kol dâbâr *conj.*; « *personne n'insultait en quoi que ce soit* (?) » w⁽ᵉ⁾ên-maklîm dâbâr H. — « *les Araméens* » 'ărâm G ; « *l'homme* » 'âdâm H.

8. « *Que nous rapportez-vous ?* » *conj. d'après* G ; « *Qu'est-ce que vous ... ?* » H.

9. « *Nous sommes ... jusqu'à Laïs* » *d'après* G ; *omis par* H. — « *Debout !* » *litt.* « *Levez-vous* » G *Vers.*; « *Lève-toi* » H. — « *pourquoi demeurez-vous ?* » mah-maḥšîm *conj.*; « *et vous restez* » maḥšîm H. — « *à partir pour Laïs* » lâlèkèt lây⁽ᵉ⁾šâh *conj.*; « *à partir pour venir* » lâlèkèt lâbo' H.

10. « *un lieu* » *conj.*; « *l'(a mis entre vos mains)* » H.

Qadi à 5 km. à l'ouest de Banyas (Césarée de Philippe) près de l'une des sources du Jourdain. La ville était séparée de la Sidon phénicienne par la profonde vallée du Nahr-el-Litani et n'avait aucune relation avec les États araméens de l'Est, l'Aram de Bet-Rehob, Maaka et peut-être Damas.

a) « contre eux » H; G porte « contre elle (la ville) ».

¹² Ils montèrent camper à Qiryat-Yéarim*ᵃ* en Juda. C'est pourquoi, encore aujourd'hui, on nomme cet endroit le Camp de Dan*ᵇ*. Il se trouve au couchant de Qiryat-Yéarim. ¹³ De là, ils s'engagèrent dans la montagne d'Éphraïm et ils parvinrent à la maison de Mika.

¹⁴ Or les cinq hommes qui étaient allés reconnaître le pays prirent la parole et dirent à leurs frères : « Savez-vous qu'il y a ici dans ces maisons un éphod, des téraphim, une image taillée (et une idole de métal fondu) ? Et maintenant, voyez ce que vous avez à faire*ᶜ*. » ¹⁵ Se détournant, ils allèrent à la maison du jeune lévite, à la maison de Mika, et ils le saluèrent. ¹⁶*ᵈ* Pendant que les six cents hommes des Danites, armés en guerre, se tenaient sur le seuil de la porte, ¹⁷ les cinq hommes qui étaient allés reconnaître le pays vinrent, et, étant entrés, ils prirent l'image taillée, l'éphod, les téraphim (et l'idole de métal fondu), tandis que le prêtre se tenait sur le seuil de la porte avec les six cents hommes

---

14. *Après « le pays »* H *ajoute « Laïs »; omis par* G.

16. « *les six cents »* G ; « *six cents »* H. — « *des Danites »* : *glose ajoutée par* H *à la fin du v.*

---

a) Qiryat-Yéarim (1 S **6** 21; **7** 1; 2 S **6** 2) aujourd'hui Abou-Gosh à 14 km. de Jérusalem, sur la route de Jaffa.

b) Cf. **13** 25.

c) C'est une invitation à s'emparer de ces objets sacrés. Cf. 1 S **25** 17.

d) Ce passage (16-18) semble indiquer deux sources dont les indications ont été entremêlées, puisqu'elles se répètent : 16 = 17ᶜ; 17ᵃ = 18ᵃ. Gᴮ omet 17ᵇ; Gᴸ omet 17ᶜ-18ᵃ. Ce passage demeure très embrouillé. Ou bien il faut omettre les vv. 16 et 17ᵇ, deux phrases qui font double emploi et dont l'une se révèle comme une glose. Ou bien il faut admettre deux sources. Dans l'une, les cinq émissaires font une visite au jeune lévite, tandis que le gros des Danites enlève l'image taillée. Dans l'autre, ce sont les cinq émissaires qui prennent les objets sacrés. Lorsqu'ils sortent, ils sont interpellés par le prêtre qui était resté sur le seuil de la porte avec le gros de la troupe. Cette dernière solution paraît être plus vraisemblable.

armés en guerre. [18] Ceux-là[a] donc, étant entrés dans la maison de Mika, prirent l'image taillée, l'éphod, les téraphim (et l'idole de métal fondu[b]). Mais le prêtre leur dit : « Que faites-vous là ? » — [19] « Tais-toi ! lui répondirent-ils. Mets ta main sur ta bouche et viens avec nous. Tu seras pour nous un père et un prêtre. Vaut-il mieux pour toi être le prêtre de la maison d'un particulier que d'être le prêtre d'une tribu et d'un clan en Israël ? » [20] Le prêtre en fut charmé, il prit l'éphod, les téraphim ainsi que l'image taillée et s'en alla au milieu de la troupe.

[21] Reprenant alors leur direction, ils partirent, ayant placé en tête les femmes et les enfants, les troupeaux et les choses précieuses. [22] Ils étaient déjà loin de la demeure de Mika quand les gens qui habitaient les maisons voisines de celle de Mika donnèrent l'alarme et se mirent à la poursuite des Danites[c]. [23] Comme ils criaient après les Danites, ceux-ci, se retournant, dirent à Mika : « Qu'as-tu à crier ainsi ? » — [24] « Vous m'avez pris mon dieu[d] que je m'étais fabriqué, leur répondit-il, ainsi que le prêtre. Vous partez, et que me reste-t-il ? Comment pouvez-vous me dire : Qu'as-tu ? » [25] Les Danites lui répliquèrent : « Que nous ne t'entendions plus ! Sinon des hommes exaspérés pourraient bien tomber sur vous. Tu risques de causer ta perte et celle de ta maison ! » [26] Les Danites poursuivirent leur

---

18. « *l'image taillée, l'éphod* » G *Vers.*; « *l'image taillée de l'éphod* » H.
21. « *les femmes* » *ajouté, cf.* Dt **2** 34; **3** 6, *etc.*; *omis par* H.

---

a) « Ceux-là » : ajoute probable pour concilier les deux versions.
b) « et l'idole de métal fondu », à supprimer comme glose.
c) Comp. Laban, Gn **31** 23.
d) C'est-à-dire l'image taillée que j'ai fait fabriquer et qui est censée représenter Yahvé, comme plus tard le taureau dans le sanctuaire de Béthel. Déviations populaires, influencées par la religion cananéenne.

chemin, et Mika, voyant qu'ils étaient les plus forts, s'en retourna et revint chez lui.

Prise de Laïs.
Fondation de Dan
et de son sanctuaire.

[27] Ainsi, après avoir pris le dieu qu'avait fabriqué Mika, et le prêtre qu'il avait à son service, les Danites marchèrent contre Laïs, contre un peuple tranquille et confiant. Ils passèrent la population au fil de l'épée et ils livrèrent la ville aux flammes[a]. [28] Il n'y eut personne pour la secourir, car elle était loin de Sidon et elle n'avait pas de relations avec les Araméens. Elle se situait dans la vallée qui s'étend vers Bet-Rehob[b]. Ils rebâtirent la ville, s'y établirent, [29] et ils l'appelèrent Dan, du nom de Dan leur père qui était né d'Israël. A l'origine pourtant la ville s'appelait Laïs. [30] Les Danites dressèrent l'image taillée[c] pour leur usage. Yehonatân, fils de Gershom, fils de Moïse[d], et ensuite ses fils, ont été prêtres de la tribu de Dan jusqu'au jour où la population du pays fut

---

27. « *le dieu* » *d'après v.* 24; « *ce dieu* » H.
28. « *les Araméens* » *conj. comme au v.* 7; « *homme* » H.
30. « *Moïse* (mšh) » *G Vers.*; « *Manassé* (m[n]šh) » (*avec le nun en surcharge*) H.

---

a) La question morale ne se pose même pas à cette date reculée et en des temps de migrations où des mouvements de peuples forcent les populations à trouver un espace vital.

b) Bet-Rehob, Nb **13** 21; 2 S **10** 8, probablement sur le site originel de Banyas, le centre d'un petit État araméen qui s'est organisé au cours du XIIᵉ siècle av. J. C.

c) Il n'est parlé ici que de l'image taillée, puisque c'est elle qui constitue l'objet essentiel du culte.

d) Cf. Ex **2** 22; **18** 3; 1 Ch **23** 15. Ce Yehonatân est le jeune lévite de **17** 7-13 (les Juifs ont plus tard remplacé le nom de Moïse par celui de Manassé, le roi impie, 2 R **21**). Ses descendants auraient desservi le sanctuaire, non seulement jusqu'à la destruction de celui de Silo, 1 S **4**, mais encore postérieurement. D'après 2 R **10** 29, le sanctuaire de Dan existait encore sous Jéhu.

emmenée en exil^a. ³¹ Ils installèrent pour leur usage l'image taillée^b que Mika avait faite, et elle demeura là aussi long-temps que subsista la maison de Dieu à Silo^c.

II. LE CRIME DE GIBÉA
ET LA GUERRE CONTRE BENJAMIN^d

**Le lévite d'Éphraïm
et sa concubine.**

19. ¹ En ce temps-là^e — il n'y avait pas alors de roi en Israël — il y avait un homme, un lévite, qui rési-

---

a) Sous Téglat-Phalasar III en 733 (2 R **15** 29), lors de la première déportation israélite, ou peut-être en 721 à la fin du royaume de Samarie.

b) Au lieu de « l'image taillée » H, on propose « le dieu » comme aux vv. 24 et 27.

c) À notre avis l'auteur exprime simplement la coexistence pendant un certain temps des sanctuaires de Dan et de Silo. Ce dernier semble avoir été détruit par les Philistins (1 S **4**) au moment de la prise de l'arche, puisque, à partir de ce moment, les prêtres de Silo demeurent à Nob. Le sanctuaire de Dan a continué d'exister jusqu'au milieu du VIIIe siècle, 2 R **10** 29; Am **8** 14.

d) Il semble que, dans sa rédaction dernière, le récit soit assez tardif. Certaines expressions sont caractéristiques d'une époque post-exilique (**20** 27 s; **21** 5, 10, 11, 14), et elles seraient contemporaines du recueil des Chroniques. Par ailleurs, l'État d'Israël, tel qu'il est représenté ici, ne semble pas correspondre à la réalité historique. Le récit suppose en Israël une centralisation très poussée que démentent les livres de Josué et des Juges. Si Benjamin a été tellement affaibli par cette guerre d'extermination, on comprend mal la puissance de cette tribu au début de la royauté de Saül. Par contre le fond du récit présente un caractère historique et parfaitement objectif : un crime scandaleux a été commis à Gibéa, Israël s'en est senti tout entier solidaire et le refus de Benjamin de punir les coupables a souligné la gravité du mal. Osée semble y faire allusion, **9** 9; **10** 9. Dans le cantique de Débora, Jg **5** 14, Benjamin se trouve entièrement sous la mouvance d'Éphraïm, preuve de son effacement momentané. Si l'on s'en tient à **20** 26 s (l'arche à Béthel, et Pinhas, fils d'Éléazar, fils d'Aaron, exerçant les fonctions de grand prêtre), l'épisode serait à dater des premières années de l'établissement des Israélites en Palestine. Ce récit semble formé de la combinaison de plusieurs sources. Il combine en fait plusieurs tra-ditions anciennes : l'une se rattache au sanctuaire de Miçpa, l'autre à celui

Voir la note *e,* à la page suivante.

dait au fond de la montagne d'Éphraïm*a*. Il prit pour concubine une femme de Bethléem de Juda. ² Dans un moment de colère sa concubine le quitta pour rentrer dans la maison de son père à Bethléem de Juda, et elle y demeura un certain temps, quatre mois. ³ Son mari partit et alla la trouver pour lui faire entendre raison et la ramener chez lui; il avait avec lui son serviteur et deux ânes. Comme il arrivait à la maison du père de la jeune femme, celui-ci l'aperçut et s'en vint tout joyeux au-devant de lui. ⁴ Son beau-père, le père de la jeune femme, le retint et il demeura trois jours chez lui, ils y mangèrent et burent et ils y passèrent la nuit. ⁵ Le quatrième jour, ils s'éveillèrent de bon matin et le lévite se disposait à partir, quand le père de la jeune femme dit à son gendre : « Restaure-toi en mangeant un morceau de pain, vous partirez après. » ⁶ S'étant assis, ils se mirent à manger et à boire tous les deux ensemble, puis le père de la jeune femme dit à cet homme : « Consens, je te prie, à passer la nuit, et que ton cœur se réjouisse. » ⁷ Comme l'homme se levait pour partir, le beau-père insista auprès de lui, et il y passa encore la nuit. ⁸ Le cinquième jour, le lévite se leva de bon matin pour partir, mais le père de la jeune femme lui dit : « Restaure-toi

---

19 2. « *Dans un moment de colère* » litt. « *S'étant fâchée contre lui* » wattize*e*ap *G Vers.*; « *Elle lui fut infidèle* », litt. « *elle forniqua* », wattiznèh *H.*

3. « *Comme il arrivait* » wayyâbo' *G Vers.*; « *et elle le fit entrer* » watt*e*bî'éhû *H.*

7. « *et il y passa* » *G* ; « *il y passa de nouveau* » *H.*

---

de Béthel. Il montre les exigences du Dieu de sainteté à l'égard de son peuple : le crime de Gibéa soulève l'indignation d'Israël et les Benjaminites sont châtiés, mais une portion du peuple de Dieu ne doit pas périr et la tribu décimée renaîtra.

e) Cf. **17** 6; **18** 1.

---

a) Le plus loin possible de Behtléem, c'est-à-dire au nord d'Éphraïm; le rédacteur serait donc de Juda. Une « femme concubine », c'est-à-dire une femme de second rang.

d'abord, je t'en prie ! » Ils perdirent ainsi du temps jusqu'au déclin du jour et ils mangèrent tous deux ensemble.
⁹ Le mari se disposait à partir avec sa concubine et son
serviteur, quand son beau-père, le père de la jeune femme,
lui dit : « Voici que le jour s'incline vers le soir. Passe donc
la nuit ici, et que ton cœur se réjouisse. Demain de bon
matin, vous partirez*a* et tu regagneras ta tente*b*. » ¹⁰ Mais
l'homme, refusant de passer la nuit, se leva, partit et il
arriva en vue de Jébus, — c'est-à-dire de Jérusalem*c*. Il
avait avec lui deux ânes bâtés, ainsi que sa concubine et
son serviteur.

**Le crime des gens
de Gibéa.**

¹¹ Lorsqu'ils furent près de
Jérusalem, le jour avait beaucoup baissé. Le serviteur dit
à son maître : « Viens donc,
je te prie, quittons la route pour entrer dans cette ville des
Jébuséens et nous y passerons la nuit. » ¹² Son maître lui
répondit : « Nous n'entrerons pas dans une ville d'étrangers qui ne sont pas, ceux-là, des Israélites, mais nous

---

8. « *Ils perdirent du temps* », litt. « *ils s'attardèrent* » conj.; « *Attardez-
vous* » H.
9. « *vers le soir* » conj.; « *pour se coucher* » H. — « *ici* » conj.; « *voici* » H. —
H ajoute « *le déclin du jour, passe ici la nuit* »; omis par G (doublet). Les
vv. 8 et 9 sont corrigés.
10. « *et son serviteur* » wᵉna'ărô G Vers.; « *avec lui* » 'immô H.
11. « *Jérusalem* » conj.; « *Jébus* » H.
12. « *étrangers* » conj.; H singulier. — « *ceux-là* » plusieurs Mss hébr.;
H féminin.

---

a) Long échange de politesses rituelles à l'égard de l'hôte. Elles sont
encore en usage chez les Bédouins et les Syriens actuels. Le beau-père
a-t-il eu le pressentiment d'un malheur ?
b) Expression conservée du temps où Israël était encore nomade et qui
signifie le retour chez soi, Jos **22** 4; **6** 8; Jg **7** 8.
c) La ville s'appelait déjà Urusalîm, Jérusalem, au xvᵉ siècle av. J. C.,
longtemps avant l'occupation israélite. Elle ne s'est jamais appelée Jébus,
1 Ch **11** 4, 5. « Jébus, c'est-à-dire » serait donc une glose et ce nom se
serait formé sur celui des Jébuséens, qui, jusqu'à David, occupaient la
ville, Jos **15** 8; **18** 16, 28.

pousserons jusqu'à Gibéa. » [13] Et il ajouta à son serviteur :
« Allons, et tâchons d'atteindre l'une de ces localités pour
y passer la nuit, Gibéa[a] ou Rama[b]. » [14] Ils poussèrent donc
plus loin et continuèrent leur marche. A leur arrivée en
face de Gibéa de Benjamin, le soleil se couchait. [15] Ils se
tournèrent alors de ce côté pour passer la nuit à Gibéa. Le
lévite, étant entré, s'assit sur la place de la ville, mais personne ne leur offrit dans sa maison l'hospitalité pour la
nuit[c].

[16] Survint un vieillard qui, le soir venu, rentrait de son
travail des champs. C'était un homme de la montagne
d'Éphraïm, qui résidait à Gibéa[d], tandis que les gens de
l'endroit étaient des Benjaminites. [17] Levant les yeux, il
remarqua le voyageur, sur la place de la ville : « D'où
viens-tu, lui dit le vieillard, et où vas-tu[e] ? » [18] Et l'autre lui
répondit : « Nous faisons route de Bethléem de Juda vers le
fond de la montagne d'Éphraïm. C'est de là que je suis.
J'étais allé à Bethléem de Juda et je retourne chez moi,
mais personne ne m'a offert l'hospitalité dans sa maison.
[19] Nous avons pourtant de la paille et du fourrage pour
nos ânes, j'ai aussi du pain et du vin pour moi, pour ta
servante et pour le jeune homme qui accompagne ton
serviteur. Nous ne manquons de rien. » — [20] « Sois le

---

13. « *Allons* » Qer ; « *Va* » H Ket.

18. « *je retourne chez moi (litt.; dans ma maison)* » G et v. 29; « *je vais vers la maison de Yahvé* » H.

19. « *ton serviteur* » *plusieurs Mss hébr.*; « *tes serviteurs* » H.

---

a) Appelée plus tard Gibéa-de-Saül, aujourd'hui Tell el-Fûl, à 6 km. au nord de Jérusalem. Sa population était très mélangée.

b) Aujourd'hui er-Ram, à 3 km. au delà, à 9 km. au nord de Jérusalem.

c) Première faute grave contre le devoir de l'hospitalité.

d) Donc compatriote du lévite. Tout ce récit comporte des réminis-cences de l'histoire de Lot, Gn **19**.

e) Encore aujourd'hui, chez les nomades ou les fellahs, on ne demande pas au voyageur son nom, mais d'où il vient et où il va.

bienvenu, repartit le vieillard, laisse-moi pourvoir à tous tes besoins, mais ne passe pas la nuit sur la place. » [21] Il le fit donc entrer dans sa maison et il donna du fourrage aux ânes. Les voyageurs se lavèrent les pieds, puis mangèrent et burent.

[22] Pendant qu'ils se réconfortaient, voici que des gens de la ville, des vauriens[a], s'attroupèrent autour de la maison et, frappant à la porte à coups redoublés, ils dirent au vieillard, maître de la maison : « Fais sortir l'homme qui est venu chez toi[b], que nous le connaissions. » [23] Alors le maître de la maison sortit vers eux et leur dit : « Non, mes frères, je vous en prie, ne soyez pas des criminels. Puisque cet homme est entré dans ma maison, ne commettez pas cette infamie[c]. [24] Voici ma fille qui est vierge. Je vous la livrerai. Abusez d'elle et faites ce que bon vous semble, mais ne commettez pas à l'égard de cet homme une pareille infamie. » [25] Ces gens ne voulurent pas l'écouter. Alors l'homme prit sa concubine et la leur amena dehors. Ils la connurent, ils abusèrent d'elle toute la nuit jusqu'au matin et, au lever de l'aurore, ils la lâchèrent.

[26] Vers le matin la femme s'en vint tomber à l'entrée de la maison de l'homme chez qui était son mari et elle resta là jusqu'au jour. [27] Au matin son mari se leva et, ayant ouvert

---

24. *Après* « *ma fille qui est vierge* » *H ajoute* « *et sa concubine* ».

---

a) « Des vauriens », litt. « des fils de Belial », cf. 1 S **1** 16; **2** 12; **10** 27; Ps **18** 5; 2 Co **6** 15; 2 Th **2** 3. L'étymologie « qui ne laisse pas remonter », caractérise l'enfer. Le nom indique une puissance infernale. Il désignera Satan dans l'apocalyptique juive et dans les épîtres de saint Paul.

b) Avec H. Peut-être faudrait-il lire d'après **20** 5 et Josèphe, *Antiqu.*, V, 11, 8 : « la femme qui est venue chez toi ».

c) Ce n'est pas la faute impure, mais la violation du droit sacré de l'hospitalité qui constitue l'infamie majeure. Le vieillard est prêt à se dévouer pour remplir ce devoir et empêcher le crime, mais le lévite, voyant que les gens de Gibéa maintiennent leurs exigences abominables, sacrifie sa femme.

la porte de la maison, il sortait pour continuer sa route, quand il vit que la femme, sa concubine, gisait à l'entrée de la maison, les mains sur le seuil. [28] « Lève-toi, lui dit-il, et partons ! » Pas de réponse[a]. Alors il la chargea sur son âne et il se mit en route pour rentrer chez lui. [29] Arrivé à la maison, il prit son couteau et, saisissant sa concubine, il la découpa, membre par membre, en douze morceaux, puis il l'envoya dans tout le territoire d'Israël[b]. [30] Il donna des ordres à ses émissaires, disant : « Voici ce que vous direz à tous les Israélites : A-t-on jamais vu pareille chose depuis le jour où les Israélites sont montés du pays d'Égypte jusqu'aujourd'hui ? Réfléchissez-y, consultez-vous et prononcez. » Et tous ceux qui voyaient, disaient : « Jamais chose pareille n'est arrivée et ne s'est vue depuis que les Israélites sont montés du pays d'Égypte jusqu'aujourd'hui[c]. »

20. [1] Tous les enfants d'Israël sortirent donc, et,

Les Israélites s'engagent à venger le crime de Gibéa.

comme un seul homme, toute la communauté[d] se réunit depuis Dan jusqu'à Bersabée[e] et le pays de Galaad, auprès de Yahvé à Miçpa[f]. [2] Les chefs

---

30. « *Il donna des ordres à ses émissaires* » G *Vers.*; *omis par* H.

---

a) G ajoute : « elle était morte ».

b) Cf. 1 S **11** 7, mais le geste de Saül a un sens différent. Ici le lévite veut donner une impression d'horreur et solliciter implicitement la vengeance.

c) Il faut lire 30[b] avant 30[a].

d) La *'èdâh* est l'assemblée de la communauté d'Israël représentée par les notables des différentes tribus, vieillards, chefs militaires, etc. Cf. Jos **22** 12, où il s'agit d'une réunion analogue en vue d'une attaque contre Ruben. Cf. 2 S **6** 1.

e) Expression stéréotypée qui désigne les limites nord et sud du pays effectivement occupé par Israël.

f) Miçpa de Benjamin qu'il ne faut pas confondre avec Miçpa de Galaad, ni avec la Miçpa de Séphéla en Juda; aujourd'hui Tell en-Nasbé à 13 km. au nord de Jérusalem, 1 S **7** 5-14; **10** 17. C'était autrefois un centre religieux avec un sanctuaire, Os **5** 1; 1 M **3** 46.

de tout le peuple, toutes les tribus d'Israël assistèrent à l'assemblée du peuple de Dieu, quatre cent mille hommes de pied, sachant tirer l'épée*ᵃ*. ³ Les Benjaminites apprirent que les enfants d'Israël étaient montés à Miçpa... Les enfants d'Israël dirent alors : « Racontez-nous comment ce crime a été commis ! » ⁴ Le lévite, le mari de la femme qui avait été tuée, prit la parole et dit : « J'étais venu avec ma concubine à Gibéa de Benjamin pour y passer la nuit. ⁵ Les habitants de Gibéa se sont soulevés contre moi et, pendant la nuit, ils ont entouré la maison où j'étais; moi, ils voulaient me tuer et, quant à ma concubine, ils ont abusé d'elle*ᵇ* au point qu'elle en est morte. ⁶ J'ai pris alors ma concubine, je l'ai coupée en morceaux et je l'ai envoyée dans toute l'étendue de l'héritage d'Israël, car ils ont commis une infamie en Israël. ⁷ Vous voici tous ici, Israélites. Consultez-vous et ici même prenez une décision. » ⁸ Tout le peuple se leva comme un seul homme en disant : « Personne d'entre nous ne regagnera sa tente, personne d'entre nous ne retournera dans sa maison ! ⁹ Maintenant, voici comment nous procéderons à l'égard de Gibéa. Nous jetterons le sort*ᶜ*, ¹⁰ et nous prendrons dans toutes les tribus d'Israël dix hommes sur cent, cent sur mille et mille sur dix mille, ils chercheront des vivres pour l'armée, pour ceux qui iront punir Gibéa de Benjamin de l'infamie qu'elle

---

20 6. *Avant « une infamie en Israël » H ajoute « un crime »; omis par G.*

9. *« Nous jetterons » na'ålèh G et Lv* **16** 9; *« contre elle » 'alêhâ H.*

10. *« pour ceux qui iront punir » labba'îm la'ăśât G Vers.; « pour châtier selon leur venue » la'ăśôt lᵉbô'âm H. — « Gibéa » G Vers.; « Géba » H.*

---

a) Cf. v. 17. Même exagération dans **8** 10. Les documents anciens donnent des chiffres plus modestes, cf. **5** 8; **7** 16; **18** 11; 2 S **15** 18.

b) G et Vers. ajoutent : « ils s'en sont fait un jeu ».

c) Consultation de Yahvé par le sort.

a commise en Israël. » ¹¹ Ainsi s'assemblèrent contre la ville*a* tous les gens d'Israël, unis comme un seul homme.

Obstination des Benjaminites.

¹² Les tribus d'Israël envoyèrent des émissaires dans toute la tribu de Benjamin pour dire : « Quel est ce crime qui a été commis parmi vous ? ¹³ Maintenant, livrez ces hommes, ces vauriens, qui sont à Gibéa, pour que nous les mettions à mort et que nous fassions disparaître le mal du milieu d'Israël. » Mais les Benjaminites ne voulurent pas écouter leurs frères les Israélites*b*.

Premiers combats.

¹⁴ Les Benjaminites, quittant leurs villes, s'assemblèrent à Gibéa pour combattre les Israélites. ¹⁵ Les Benjaminites venus des diverses villes, s'étant comptés ce jour-là, formaient un total de vingt-cinq mille hommes*c* sachant tirer l'épée, sans compter les habitants de Gibéa. ¹⁶ Dans toute cette armée il y avait sept cents hommes d'élite, ambidextres*d*. Tous ceux-ci, avec la pierre de leur fronde, étaient capables de viser un cheveu sans le manquer. ¹⁷ Les gens d'Israël se recensèrent

---

12. « *dans toute la tribu* » G *Vers.*; « *dans toutes les tribus* » H.
13. « *les Benjaminites* » G *Vers.*; « *Benjamin* » H.
14. « *leurs villes* » G ; « *les villes* » H.
15. « *vingt-cinq mille* » G *et vv.* 35 *et* 46; « *vingt-six mille* » H. — *A la fin du v.* H *ajoute* « *on recensa sept cents hommes d'élite* » (*doublet de* 16ª); *omis par* G *Vers.*

---

a) « Contre la ville » et non pas « près de la ville ».
b) Encore aujourd'hui, chez les nomades de Transjordanie et d'Arabie, même dans le cas d'un crime, le cheikh n'a pas le droit de livrer à la mort le coupable qui appartiendrait à son clan, parce que celui-ci est « son propre sang » et que rien ne prévaut contre le sang.
c) Les chiffres diffèrent selon les témoins. H et Targ 26.000; G^AL, Syr hex, Vulg, vv. 35 et 46, 25.000; Josèphe, *Ant.*, V, II, 10 et G^B, 23.000.
d) Cf. **3** 15; 1 Ch **12** 1-8.

également. Non compris Benjamin ils étaient quatre cent
mille, sachant tirer l'épée, tous gens de guerre. ¹⁸ Ils partirent et montèrent à Béthel pour consulter Dieu*ᵃ : « Qui
de nous marchera le premier au combat contre les Benjaminites ? » demandèrent les Israélites. Et Yahvé répondit :
« Juda marchera le premier. »

¹⁹ Au matin les Israélites se mirent en marche et ils dressèrent leur camp en face de Gibéa. ²⁰ S'avançant au combat
contre Benjamin, ils se rangèrent en bataille en face de
Gibéa. ²¹ Mais les Benjaminites sortirent de Gibéa et, ce
jour-là, ils tuèrent à Israël vingt-deux mille hommes qui
restèrent sur la place ᵇ. ²³ Les Israélites vinrent pleurer
devant Yahvé jusqu'au soir, puis ils consultèrent Yahvé en
disant : « Dois-je encore engager le combat contre les fils
de Benjamin mon frère ? » Et Yahvé répondit : « Marchez
contre lui ! » ²² Alors l'armée des gens d'Israël reprit courage et de nouveau se rangea en bataille au même endroit
que le premier jour. ²⁴ Le second jour les Israélites s'appro-
chèrent donc des Benjaminites, ²⁵ mais, en cette seconde
journée, Benjamin sortit de Gibéa à leur rencontre et il tua
encore aux Israélites dix-huit mille hommes qui restèrent
sur la place; c'étaient tous des guerriers sachant tirer
l'épée ᶜ. ²⁶ Alors tous les Israélites et tout le peuple s'en
vinrent à Béthel, ils pleurèrent, ils s'assirent là devant
Yahvé ᵈ, ils jeûnèrent toute la journée jusqu'au soir et ils

---

20. « *en face de Gibéa* » *conj.*; « *en face d'eux vers Gibéa* » H.

a) Béthel est à une heure de Miçpa. Les Israélites s'y rendent parce que
l'arche y réside, v. 27.

b) Il faut intervertir les vv. 22 et 23.

c) Ces défaites successives avaient probablement pour cause dans le
récit primitif ce fait qui n'est pas mentionné par l'auteur, que l'armée
israélite avait contracté quelque souillure. Cf. Jos 7. Une purification est
donc nécessaire.

d) S'asseoir sur la terre dans une attitude humiliée constitue un geste
rituel de deuil. Is 3 2, 6; 47 1; Jb 2 13; Esd 9 3.

offrirent des holocaustes et des sacrifices de communion devant Yahvé; ²⁷ puis les Israélites consultèrent Yahvé. L'arche de l'alliance de Dieu*ᵃ* se trouvait alors en cet endroit*ᵇ* ²⁸ et Pinhas, fils d'Éléazar, fils d'Aaron, en ce temps-là, la desservait*ᶜ*. Ils dirent : « Dois-je sortir encore pour combattre les fils de Benjamin mon frère, ou bien dois-je cesser ? » Et Yahvé répondit : « Marchez, car demain, je le livrerai entre vos mains. »

²⁹ Alors Israël plaça des **Défaite et extermination** troupes en embuscade autour **de Benjamin*ᵈ*.** de Gibéa. ³⁰ Le troisième jour, les Israélites marchèrent contre les Benjaminites et, comme les autres fois, ils se rangèrent en bataille en face de Gibéa. ³¹ Les Benjaminites firent une sortie contre eux et se laissèrent attirer loin de la ville. Ils commencèrent comme les autres fois à tuer du monde parmi le peuple sur les routes qui montent, l'une à Béthel, et l'autre à Gabaôn*ᵉ*; ils tuèrent ainsi en rase cam-

---

28. « *vos mains* » G *Vers.*; « *tes mains* » H.
31. « *firent une sortie contre eux* », litt. « *sortirent à leur rencontre* » liqᵉrâ'tâm *conj. d'après v.* 25; « *sortirent à la rencontre du peuple* » liqᵉra't hâ'âm H. — « *Gabaôn* » *conj.*; « *Gibéa* » H.

---

a) Au lieu de « Dieu », G et Vers. ont « Yahvé ».
b) C'est le seul passage du livre des Juges où il soit fait mention de l'arche. Dans Jos **18** 10 et 1 S **1** 1 s l'arche est censée demeurer à Silo jusqu'aux jours du grand prêtre Héli.
c) Pinhas, cf. Nb **25** 7-13. — « La desservait », litt. « se tenait devant elle ». — 27ᵇ et 28 semblent être une glose pour prouver que les Israélites ont offert leurs sacrifices d'une façon parfaitement régulière. Dt **10** 8; **18** 7; Ez **44** 15.
d) Il est clair que nous avons ici deux documents. Dans le premier récit (29-36ᵃ) l'auteur s'attache au gros de l'armée israélite; dans le second (36ᵇ-41), il raconte surtout le succès de l'embuscade. La tactique est celle de Josué devant Aï, Jos **8**.
e) Béthel, aujourd'hui Beïtîn à 19 km. au nord de Jérusalem. — Gabaôn, aujourd'hui El-Djîb à 10 km. au nord-nord-ouest de Jérusalem. Les deux routes se séparent à 6 km. au nord-ouest de Gibéa.

pagne une trentaine d'hommes à Israël. [32] Les Benjaminites se dirent : « Les voilà battus devant nous comme la première fois », mais les Israélites s'étaient dit : « Nous allons fuir et nous les attirerons loin de la ville sur les chemins. [33] Alors, tandis que le gros de l'armée d'Israël, quittant sa position, se rangera en bataille à Baal-Tamar[a], l'embuscade d'Israël surgira de sa position à l'ouest de Géba[b]. » [34] Dix mille hommes d'élite, choisis dans tout Israël, parvinrent en face de Gibéa. Le combat était acharné. Les Benjaminites ne se doutaient pas du tout du malheur qui les atteignait. [35] Et Yahvé battit Benjamin devant Israël et, en ce jour, les Israélites tuèrent à Benjamin vingt-cinq mille cent hommes, tous sachant tirer l'épée. [36] Les Benjaminites, se voyant battus…[c]

Les gens d'Israël avaient cédé du terrain à Benjamin parce qu'ils comptaient sur l'embuscade qu'ils avaient placée contre Gibéa. [37] Les troupes de l'embuscade, se déployant rapidement, gagnèrent Gibéa et elles passèrent toute la ville au fil de l'épée. [38] Il y avait en effet cette convention entre les gens d'Israël et les troupes de l'embuscade : celles-ci devaient, en guise de signal, faire monter de la ville une fumée; [39] alors les gens d'Israël engagés dans le combat feraient volte-face. Benjamin commença

---

33. « *à l'ouest de Géba* » mimma'ărab l^egâba' *Vers.*; « *de la plaine (ou du plateau) de Géba* » mimma'ăréh-gâba' *H.*

38. *Après* « *embuscade* » *H porte* « *multiplie* » hèrèb (*dittographie du mot* hâ'oréb); *omis par G Vers.*

39. « *feraient volte-face* » *conj.*; « *firent volte-face* » *H.*

---

a) Aujourd'hui Ras et-Tawil, un sommet au nord-est de Tell el-Foûl qui est Gibéa.

b) Géba. L'actuel Djéb'a conserve le nom et le site de l'ancienne localité entre Tell el-Foûl et Mikmas. Entre ces deux localités se trouvent des vallées profondes propres à des embuscades.

c) La suite se trouve au v. 45.

par tuer du monde aux Israélites, une trentaine d'hommes. « Certainement les voilà encore battus devant nous, se disait-il, comme dans le premier combat. » [40] Mais le signal, une colonne de fumée, commença à s'élever de la ville, et Benjamin, se retournant, aperçut que la ville tout entière montait en feu vers le ciel[a]. [41] Les gens d'Israël firent alors volte-face et les Benjaminites furent dans l'épouvante, car ils voyaient leur malheur imminent.

[42] Ils s'enfuirent devant les gens d'Israël en direction du désert, mais les combattants les serraient de près et ceux qui venaient de la ville les massacraient en les prenant à revers[b]. [43] Ils cernèrent Benjamin, le poursuivant sans répit, et ils l'écrasèrent en face de Géba, du côté du soleil levant. [44] De Benjamin dix-huit mille hommes tombèrent, tous hommes vaillants. [45] Les survivants tournèrent le dos, et s'enfuirent au désert vers le Rocher de Rimmôn[c]. Sur les routes les Israélites ramassèrent cinq mille hommes. Puis ils poursuivirent Benjamin jusqu'à Géba, et lui tuèrent deux mille hommes. [46] Le nombre total des Benjaminites qui tombèrent ce jour-là fut de vingt-cinq mille hommes, sachant tirer l'épée, tous hommes vaillants. [47] Six cents hommes avaient pu s'enfuir au désert vers le Rocher de

---

42. « *de la ville* » G ; « *des villes* » H. — « *en les prenant à revers* » battâwèk *conj.*; « *au milieu de lui* » bᵉtôkô H.

43. « *le poursuivant sans répit* » *conj.*; « *ils le firent poursuivre* » H. — « *Géba* » *conj.*; « *Gibéa* » H. *De même au v.* 45.

---

a) Cf. Jos **8** et plus particulièrement vv. 15-20. Remarquer que dans Dt **13** 17 nous retrouvons les mêmes termes qu'ici. Il s'agit alors d'une ville qui doit être détruite parce qu'elle a été souillée par les abominations des fils de Bélial (v. 14). Gibéa aurait donc été vouée à l'anathème.

b) Cf. Jos **8** 22.

c) Le Rocher de Rimmôn, c'est-à-dire « du Grenadier », aujourd'hui Rammûn à 3 km. au sud de Taïybé (Ophra). Ce nom est sans doute à rapprocher de Rammân, « le Tonnant », épithète du dieu Hadad.

Rimmôn. Ils y restèrent quatre mois. ⁴⁸ Les gens d'Israël
revinrent vers les Benjaminites, ils passèrent au fil de l'épée
la population mâle des villes, le bétail et tout ce qu'ils
trouvaient. Ils mirent aussi le feu à toutes les villes qu'ils
rencontrèrent en Benjamin*.*

**Les regrets
des Israélites**[b].

21. ¹ Les gens d'Israël
avaient prononcé ce serment
à Miçpa : « Personne d'entre
nous ne donnera sa fille en
mariage à Benjamin[c]. » ² Le peuple se rendit à Béthel[d], il
resta là assis devant Dieu jusqu'au soir, poussant des
gémissements et pleurant à sanglots : ³ « Yahvé, Dieu
d'Israël, disaient-ils, pourquoi faut-il qu'Israël ait ce
malheur de se voir aujourd'hui privé de l'une de ses tribus ? » ⁴ Le lendemain, le peuple se leva de bon matin et
construisit là un autel ; il offrit des holocaustes et des sacrifices de communion. ⁵ Puis les Israélites dirent : « Qui

---

48. « *la population mâle* », *litt.* « *la ville d'hommes* » 'îr mᵉtîm *conj.*,
cf. Dt **2** 34; **3** 6; « *de la ville intacte* » mé'îr mᵉtom *H.*

a) En fait la tribu de Benjamin est exterminée à l'exception des six cents
réfugiés sur le Rocher de Rimmôn. Accomplissement d'un anathème
prononcé contre une tribu, cf. **2** 34; **3** 6.

b) Il est clair que le rédacteur définitif a recueilli plusieurs traditions
sur la restauration de Benjamin, puisque les mêmes faits sont rapportés
plusieurs fois : vv. 1, 14; — 3, 6, 15; — 5, 8; — 7, 16, 18; — 8, 9. Le v. 24
donne la conclusion. D'après l'une de ces sources, on demande aux habitants de Yabesh de donner de bon gré leurs filles aux Benjaminites, ce
qu'ils peuvent seuls faire sans parjure. Suivant une autre source, les Yabéshites auraient été massacrés, pour n'être pas venus à l'assemblée d'Israël,
et seules les vierges épargnées, selon la loi de Nb **31** 17-18. Enfin d'après
une autre tradition, le jour de la fête de Yahvé à Silo, les Benjaminites
auraient enlevé autant de jeunes filles qu'il leur en fallait. Le récit souligne
la solidarité des tribus qui ont dû retrancher le membre coupable mais ne
peuvent accepter cette « brèche faite à Israël ».

c) A l'anathème s'était joint un serment. C'était retrancher définitivement Benjamin de la communauté d'Israël.

d) A Béthel, comme précédemment **20** 18, 25.

d'entre toutes les tribus d'Israël n'est pas venu à l'assemblée auprès de Yahvé[a] ? » car on avait par un serment solennel[b] menacé de mort quiconque ne viendrait pas à Miçpa auprès de Yahvé.

⁶ Or les Israélites furent pris de pitié pour Benjamin leur frère : « Aujourd'hui, disaient-ils, une tribu a été retranchée d'Israël. ⁷ Que ferons-nous pour procurer des femmes à ceux qui restent, puisque nous avons juré par Yahvé de ne pas leur donner de nos filles en mariage ? »

Les vierges de Yabesh données aux Benjaminites.

⁸ Ils s'informèrent alors : « Quel est celui d'entre les tribus d'Israël, qui n'est pas venu auprès de Yahvé à Miçpa ? » Et il se trouva que personne de Yabesh en Galaad[c] n'était venu au camp, à l'assemblée. ⁹ Le peuple s'était en effet compté et il n'y avait là personne d'entre les habitants de Yabesh en Galaad[d]. ¹⁰ Alors la communauté y envoya douze mille hommes d'entre les vaillants[e] avec cet ordre : « Allez, et vous passerez au fil de l'épée les habitants de Yabesh en Galaad, ainsi que les femmes et les enfants. ¹¹ Voici ce que

---

21 7. *Avant « à ceux qui restent » H ajoute « à ceux »; omis par G.*

a) Ce v. est une glose, car 5ᵃ anticipe 8ᵃ, et 5ᵇ rappelle 7ᵇ.
b) Ce « serment solennel », litt. « le grand serment », expression inusitée. Serait-ce le serment imprécatoire de Nb **5** 21; ou celui de Ne **10** 30-31 ?
c) Aujourd'hui Deir Halawa, au-dessus du ouadi Yabis, à 10 km. à l'ouest du Jourdain, au sud-est de Beisan. Les Yabéshites devaient avoir des relations plus étroites avec Benjamin, ils n'ont pas pris part à cette guerre; plus tard, ils demeurent en relations amicales avec Saül et sa famille, 1 S **11** 1-10; **31** 11-13; 2 S **2** 4 s; **21** 12; 1 Ch **10** 11 s.
d) Le v. 9 est un doublet de 8ᵇ.
e) Ce passage rappelle en plusieurs points l'expédition contre Madiân, Nb **31** 5-6, où le nombre des guerriers est de douze mille, soit mille par tribu; de même ici, le rédacteur ayant oublié qu'il ne reste plus que onze tribus.

vous ferez : vous dévouerez à l'anathème tous les mâles et
toutes les femmes qui ont partagé la couche d'un homme,
mais vous laisserez la vie aux vierges[a]. » Et c'est ce qu'ils
firent. [12] Parmi les habitants de Yabesh en Galaad ils
trouvèrent[b] quatre cents jeunes filles vierges, qui n'avaient
pas partagé la couche d'un homme, et ils les emmenèrent
au camp (à Silo qui est au pays de Canaan[c]).

[13] Toute la communauté envoya alors des émissaires
aux Benjaminites qui se trouvaient au Rocher de Rimmôn
pour leur proposer la paix[d]. [14] Benjamin revint alors. On
leur donna parmi les femmes de Yabesh en Galaad celles
qu'on avait laissé vivre, mais il n'y en eut pas assez pour
tous.

**Le rapt des filles
de Silo.**

[15] Le peuple fut pris de
pitié pour Benjamin, parce
que Yahvé avait fait une
brèche parmi les tribus d'Is-
raël. [16] « Que ferons-nous pour procurer des femmes à ceux
qui restent, disaient les anciens de la communauté, puisque
les femmes de Benjamin ont été exterminées ? » [17] Ils
ajoutaient : « Comment conserver un reste à Benjamin
pour qu'une tribu ne soit pas effacée d'Israël ? [18] Car, pour
nous, nous ne pouvons plus leur donner nos filles en

---

11. « *mais vous laisserez la vie aux vierges* » G^B *Vulg ; omis par H.* — « *et
c'est ce qu'ils firent* » G^B; *omis par H.*

17. « *Comment conserver un reste* » 'èk tiššâ'ér p^elîṭâh *conj. d'après G ;*
« *l'héritage des réchappés* » y^eruššat p^elîṭâh *H.*

---

a) Cf. Nb **31** 17-18; **35.**
b) « ils trouvèrent » : l'expression indique plutôt un envoi fait de
bon gré.
c) Glose postérieure ajoutée pour donner à l'opération une apparence
légale. Le camp des Israélites se trouvait à Miçpa ou à Béthel, mais en tout
cas, pas à Silo.
d) Cf. Dt **20** 10-13.

mariage. » Les Israélites avaient en effet prononcé ce serment : « Maudit soit celui qui donnera une femme à Benjamin[a] ! »

[19] « Mais il y a, dirent-ils, la fête de Yahvé[b] qui se célèbre chaque année à Silo[c]. » (La ville se trouve au nord de Béthel, à l'orient de la route qui monte de Béthel à Sichem et au sud de Lebona.) [20] Ils recommandèrent donc aux Benjaminites : « Allez vous mettre en embuscade dans les vignes. [21] Vous guetterez et, lorsque les filles de Silo sortiront pour danser en chœurs[d], vous sortirez des vignes, vous enlèverez pour vous chacun une femme parmi les filles de Silo et vous vous en irez au pays de Benjamin. [22] Si leurs pères ou leurs frères viennent vous chercher querelle[e], nous leur dirons : ' Pardonnez-leur d'avoir pris chacun sa femme comme à la guerre. Car si c'était vous qui les leur eussiez données, c'est vous en ce cas qui eussiez péché '. » [23] Ainsi firent les Benjaminites, et, parmi les danseuses qu'ils avaient enlevées, ils prirent un nombre de femmes égal au leur, puis ils partirent, revinrent dans leur héritage, rebâtirent les villes et s'y établirent.

---

22. « *vous (chercher querelle)* » G *Vers.*; « *nous* » H. — « *Pardonnez-leur* » ḥannûnû G *Vers.*; « *Accordez-les-nous* » ḥannûnû 'ôtâm H. — « *d'avoir pris* » *conj.*; « *car nous n'avons pas pris* » H.

---

a) Cf. vv. 1 et 7[b]. Ici une malédiction est ajoutée.
b) C'est évidemment l'une des trois grandes fêtes nationales, Ex **34** 18 s, mais rien ne permet de préciser laquelle. L'une de ces fêtes se célébrait à Silo, 1 S **1** 3, 7, 21; **2** 19. La fête des récoltes ou des Tentes, Lv **23** 39, s'appelait par excellence la fête de Yahvé.
c) Aujourd'hui Seilûn, au nord de Béthel, à l'est de la route de Béthel-Sichem, à 5 km. est-sud-est de Lebona (Loubban).
d) Cf. Ex **32** 6, 17-19; 2 S **6** 5-20; 1 R **18** 26; Ps **26** 6-7; **118** 27. On se rappelle l'enlèvement des Sabines, mais aucun lien n'existe ici avec les traditions indo-européennes.
e) Les pères et les frères sont en droit de réclamer, puisque les jeunes filles, en dehors de l'état de guerre, sont prises en mariage sans que le prix d'achat (le *mohar*) ait été versé. Cf. Gn **34** 5-31; 2 S **13** 20-29; Ct **8** 8-10.

²⁴ Les Israélites se dispersèrent alors pour regagner chacun sa tribu et son clan, et s'en retournèrent de là chacun dans son héritage[a].

²⁵ En ce temps-là il n'y avait pas de roi en Israël et chacun faisait ce qui lui plaisait[b].

---

a) Dispersion d'Israël, chacun retourne dans sa tribu, son clan, sa maison.

b) Cf. **17** 6; **18** 1; **19** 1. Rappel de l'anarchie qui rend possible de telles abominations et transition à l'histoire de la royauté naissante.

LE LIVRE DE

RUTH

INTRODUCTION

Analyse. « Au temps des Juges », une famine étant survenue en Palestine, Élimélek de Bethléem s'en fut au pays de Moab avec sa femme Noémi et ses deux fils Mahlôn et Kilyôn. Élimélek meurt, ses deux fils épousent des Moabites, Orpa et Ruth, et meurent à leur tour. Au bout d'une dizaine d'années, Noémi apprend que la famine a cessé et elle reprend le chemin de son pays. Ses deux belles-filles l'accompagnent. Toutefois sur les instances de Noémi, Orpa retourne vers son peuple, mais Ruth persiste et arrive avec Noémi à Bethléem. C'était au commencement de la moisson des orges.

Pour subvenir aux besoins de sa belle-mère, Ruth s'en va glaner derrière les moissonneurs et le hasard la conduit dans le champ d'un parent d'Élimélek, nommé Booz. Celui-ci, ayant appris le dévouement de Ruth à l'égard de Noémi, se montre pour elle plein de bienveillantes attentions.

Sur le conseil de Noémi, Ruth s'enhardit à demander à Booz d'exercer à son égard le droit du « lévirat », c'est-à-dire de la prendre pour épouse, à condition que leur premier fils ait les droits du défunt mari de Ruth, ou mieux d'un fils d'Élimélek mort sans enfant. Pour cela elle se glisse pendant la nuit auprès de Booz qui dormait sur l'aire et lui demande d'étendre sur elle un pan de son manteau. Booz, louant fort la piété familiale qui inspire la conduite de Ruth, se déclare prêt à l'épouser, pourvu qu'un autre parent, plus proche que lui d'Élimélek, renonce à son droit. Interrogé à la porte de la ville et devant les anciens, un Bethléémite, le parent le plus rapproché d'Élimélek, renonce à ses droits. Booz rachète le champ d'Élimélek et épouse Ruth la Moabite, à charge pour lui de perpétuer le nom du défunt. Il en aura un fils qui sera légalement le fils et l'héritier d'Élimélek. Noémi, qui est légalement la mère de l'enfant, lui donne son nom de Obed et se charge de l'élever.

Cet enfant est devenu le père de Jessé et le grand-père de David. Et le fait que Ruth l'étrangère soit ainsi devenue la bisaïeule de David a donné au récit un prix particulier.

Titre.
Place dans le Canon.
Texte.

Ce livre, l'un des plus courts de ceux qui se trouvent dans l'Ancien Testament, est ainsi nommé, parce qu'il raconte l'histoire de Ruth, la Moabite.

Dans la Bible hébraïque, le livre de Ruth se place parmi les *Ketûbîm* ou hagiographes. Il est, après le Cantique des Cantiques, le second des « rouleaux » ou *Megillôt* qu'on lisait officiellement au peuple lors des cinq grandes solennités. On le lisait à la Pentecôte parce que la moisson des orges y était mentionnée. Cet arrangement, qui dépend de la liturgie, n'est peut-être pas le plus ancien.

Dans les Septante et dans la Vulgate, Ruth vient après les Juges, vraisemblablement parce que la phrase qui commence le récit : « Au temps où les juges jugeaient », semble rattacher ce livre comme un appendice à celui des Juges. Mais le livre de Ruth ne dépend pas de la rédaction deutéronomiste qui s'est exercée de Josué à la fin des Rois.

Le texte hébreu est assez médiocre et la langue présente des signes indéniables de basse époque. L'emploi d'un certain nombre d'expressions purement araméennes en est la preuve.

Les Septante ont fait du livre de Ruth une traduction très littérale, importante d'ailleurs pour la reconstitution du texte hébreu original. Le Vaticanus représente un texte préorigénien. L'Alexandrinus semble avoir été corrigé d'après les travaux d'Origène. La version syriaque, la Peshitto, est dans l'ensemble assez mauvaise. La Vulgate est à la fois élégante et assez libre.

Époque de la composition. Pour pouvoir fixer à peu près l'époque de la composition du livre de Ruth, il conviendra de remarquer l'insistance que met l'auteur à nommer son héroïne Ruth la Moabite, celle qui est revenue du pays de Moab, l'étrangère. Il veut montrer ainsi que, contrairement à l'affirmation d'Esdras, **9** et **10** et de Néhémie, **13** 1-3, 23-37, une femme étrangère n'encourt pas nécessairement la réprobation de Yahvé. En adhérant de tout cœur à l'Alliance, elle peut mériter l'approbation du peuple et la bénédiction de Dieu. Yahvé n'a-t-il pas fait de l'une de ces étrangères l'aïeule de David, le roi selon son cœur ? C'est donc dans le parti des conservateurs, attachés aux plus vieilles mœurs israélites, opposés en même temps aux rigoristes comme Esdras, qu'il faudrait chercher l'auteur du livre de Ruth.

Nous avons dans la Diaspora de cette époque un cas qui montre que cette pratique du mariage entre Israélites et étrangers était assez courante. Dans les papyrus 20 et 25 d'Éléphantine, 441 et 516 av. J. C., la juive Miphtahîah épouse un Égytien, Ashor, qui prend le nom de Nathan, tandis que les deux fils qu'elle aura de lui s'appelleront Maḥseiah et Yedoniah. La famille est donc tout entière yahviste. C'est l'époque précisément du gouvernement de Néhémie à Jérusalem sous Artaxercès Ier (464-424).

Par ailleurs, l'accent mis sur la pratique du lévirat marque bien une opposition au parti néo-rigoriste. Le Code Sacerdotal restreint l'application du lévirat, puisque, lorsqu'un homme ne laisse que des filles, il ordonne que l'héritage soit partagé entre celles-ci, sans paraître soupçonner que la veuve du défunt puisse encore se remarier d'après les principes du lévirat et lui donner un fils posthume (Nb **27** 1-11; **36**). Le

Code de Sainteté qui semble bien être contemporain de la tôrah d'Ézéchiel, interdit tout mariage entre beau-frère et belle-sœur (Lv **18** 16; **20** 21) et ne fait aucune exception. L'auteur du livre de Ruth s'en tient aux vieilles traditions.

Rien ne nous permet de proposer une date précise; cependant, étant donné l'impression sereine que laisse ce petit écrit, on pourrait estimer qu'il est antérieur de quelques années à la lutte menée par Néhémie contre les mariages mixtes. On ne se tromperait peut-être pas de beaucoup en fixant la date de composition aux environs de 450 av. J. C.

Auteur, historicité et but du livre. D'après les rabbins de l'école talmudique, le prophète Samuel aurait mis par écrit et publié le livre de Ruth. Personne ne soutient plus cette opinion. Les aramaïsmes et les néologismes qui se rencontrent dans le texte constituent une preuve absolue contre laquelle rien ne peut prévaloir. Le mieux est donc de reconnaître que nous ignorons l'auteur du livre de Ruth.

Une question se pose : quelle est la valeur historique de ce livre ? Avons-nous là un document qui nous rapporte des faits réels ou une histoire édifiante d'où ressort une leçon morale ? L'existence des genres littéraires dans la Bible nous fait une obligation de nous demander si nous n'aurions pas là, comme dans Esther, une spéculation doctrinale et édifiante sur la base d'une ancienne tradition.

On pourrait donc être tenté de voir dans le livre de Ruth ce que nous appellerions en langage moderne une nouvelle, c'est-à-dire un récit composé avec art, où, dans le cas présent, se manifestent les humbles vertus de la famille israélite, le dévouement, la générosité envers les parents, la délicatesse des sentiments, ainsi qu'une piété simple et vraie qui sait reconnaître l'intervention de Yahvé dans les événements ordinaires de la vie. Les noms de certains des personnages pourraient être fictifs. Noémi signifie « ma gracieuse », ses fils qui meurent jeunes s'appellent Mahlôn et Kilyôn, c'est-à-dire

« langueur » et « consomption », Orpa est « celle qui tourne le dos » ou qui regarde en arrière (d'une racine *'orèp,* la nuque). Par opposition, Ruth (d'une racine syriaque *Re'ut*) est l'amie, la compagne. Rien n'empêche par contre que le souvenir se soit gardé très vif à Bethléem que David ait eu parmi ses ancêtres une Moabite laquelle, par piété filiale, s'est ralliée au Yahvisme. Si David, à un moment donné, a mis son père et sa mère en sûreté chez le roi de Moab (1 S 22 3-4), il n'est pas exclu que ce soit pour des raisons de famille. Lorsqu'on connaît la fermeté des traditions chez les Bédouins, la solidité des liens claniques, la chose paraît très vraisemblable.

Sur ces données, dont le fond est historique, sur une tradition qui a pu garder en même temps des particularités propres à telle ou telle localité, l'auteur, en face de ceux qui déjà prétendaient planter une haie autour de la tôrah, a tenu à faire comprendre comment le Dieu d'Israël agrée l'hommage d'une étrangère, fût-elle une Moabite, et en récompense les vertus, au point de la faire entrer dans la lignée des ancêtres de David.

Si l'auteur insiste tellement pour qualifier Ruth de Moabite, ne serait-ce pas pour souligner en même temps le sens universaliste de sa composition ? Elle aboutit à David, parce que le nom de ce roi, après l'exil, résume toute l'espérance messianique et c'est ce que saint Matthieu a perçu, mais dans un sens encore plus universaliste, lorsque, dans la généalogie de N. S. (1 5), il a inséré le nom de Ruth en même temps que celui de deux autres étrangères. Nous sommes, non pas dans la perspective de Malachie qui blâme si énergiquement les mariages mixtes, mais dans celle de Job et de Jonas expliquant et justifiant la conduite de tous ces Israélites qui, à commencer par Moïse, ont épousé des étrangères.

LE LIVRE DE RUTH

RUTH ET NOÉMI

1. [1] Au temps des Juges[a], une famine[b] survint dans le pays et un homme de Bethléem en Juda s'en alla avec sa femme et ses deux fils, pour séjourner dans les Champs de Moab[c]. [2] Cet homme s'appelait Élimélek[d], sa femme Noémi et ses deux fils Mahlôn et Kilyôn[e]; ils étaient Éphratéens de Bethléem en Juda[f]. Arrivés dans les Champs de Moab, ils s'y établirent. [3] Élimélek, le mari de Noémi, mourut, et elle lui survécut avec ses deux fils. [4] Ils prirent pour femmes des Moabites dont l'une se nommait Orpa et l'autre Ruth. Ils demeurèrent là une dizaine d'années. [5] Quand, eux aussi, Mahlôn et Kilyôn furent décédés, Noémi resta seule, privée de ses deux fils et de son mari. [6] Alors, avec ses brus, elle se disposa à revenir des Champs de Moab, car elle y avait appris que Yahvé avait visité son

---

a) Litt. « au temps où les juges jugeaient », expression qui indique une époque lointaine. Cf. 4 7.

b) La famine, souvent causée en Palestine par la sécheresse, force les habitants d'émigrer, soit en Égypte, Gn **12** 10; **42**-46, soit dans les pays voisins, Moab ou Syrie, Gn **26**; 1 R **17** 7-24; 2 R **8** 1.

c) Expression géographique qui désigne les hauts plateaux de Moab, Gn **36** 35; Nb **21** 20; 1 Ch **1** 46; **8** 8.

d) *Élimélek,* « El est roi » ou mieux « mon Dieu est roi ». Comp. *Ilimilku* des lettres de Tell el-Amarna et des documents de Ras-Shamra.

e) Ces noms sont vraisemblablement fictifs : voir l'Introduction, p. 149.

f) Cf. **4** 11 et 1 S **17** 2. Non pas des Éphraïmites, mais du clan judéen d'Éphrata installé à Bethléem, Mi **5** 1; 1 Ch **2** 51; **4** 4.

peuple^a et lui donnait du pain. ⁷ Elle quitta donc avec ses brus le lieu où elle avait demeuré et elles se mirent en chemin pour revenir au pays de Juda.

⁸ Noémi dit à ses deux brus : « Partez donc et retournez chacune à la maison de votre mère^b ! Que Yahvé use de bonté^c envers vous comme vous en avez usé envers ceux qui sont morts et envers moi-même ! ⁹ Que Yahvé accorde à chacune d'entre vous de trouver une vie paisible dans la maison d'un mari^d ! » Et elle les embrassa; mais elles éclatèrent en sanglots ¹⁰ et lui dirent : « Non, mais avec toi nous reviendrons vers ton peuple. » — ¹¹ « Retournez, mes filles, répondit Noémi, pourquoi viendriez-vous avec moi ? Ai-je encore dans mon sein des fils qui puissent devenir vos maris^e ? ¹² Retournez, mes filles, allez-vous-en ! car je suis trop vieille pour me remarier. Et quand bien même je dirais que tout espoir n'est pas perdu pour moi, que cette nuit même je vais avoir un mari, et que j'aurais des fils, ¹³ attendriez-vous qu'ils soient devenus grands ? Vous condamneriez-vous pour cela à ne pas vous remarier ? Non, mes filles, j'en serais profondément peinée pour

---

1 8. « *Que Yahvé use* » G *Vulg ;* « *Yahvé usera* » H.

---

a) « Visité son peuple », dans un sens favorable, pour lui apporter le salut, cf. Gn **21** 1; Ex **3** 16; **13** 19; **30** 12; Is **23** 17; Sg **3** 17; Lc **7** 16.

b) « A la maison de votre mère »; G^A a corrigé « de votre père ». Il faut maintenir le T. M., car chez les Hébreux et les anciens Arabes, chaque femme a sa tente, Gn **24** 67; **31** 33; Jg **4** 17, et les filles habitent sous la tente de leur mère.

c) « Use de bonté » : le terme *ḥésed* peut signifier la miséricorde de Dieu envers les hommes, ou (ainsi **3** 40) la charité, la bonté envers le prochain. Dans ce v. le mot est employé successivement dans les deux sens.

d) Dans l'expression « la maison de votre mère », il s'agit de la tente. Ici au contraire, il s'agit de ce que les Bédouins modernes appellent *ahel,* c'est-à-dire le « chez soi » qui appartient à tout homme marié.

e) Noémi fait allusion à la loi du lévirat, Gn **38** 8-9; Dt **25** 5-10. Ses fils auraient été tenus d'épouser Ruth et Orpa, les veuves de leurs frères.

vous; car la main de Yahvé s'est levée contre moi[a]. »
[14] Elles recommencèrent à sangloter, puis Orpa embrassa
sa belle-mère et retourna vers son peuple[b], mais Ruth lui
resta attachée.

[15] Noémi lui dit alors : « Vois, ta belle-sœur s'en est
retournée à son peuple et à son dieu[c]. Retourne, toi aussi,
suis-la. »

[16] Ruth lui répondit : « Ne me presse pas de te quitter et
de m'éloigner de toi, car,

> où tu iras, j'irai,
> où tu demeureras, je demeurerai,
> ton peuple sera mon peuple
> et ton Dieu sera mon Dieu[d].

[17] Là où tu mourras, je mourrai
> et là je serai ensevelie !
> Que Yahvé me fasse ce mal
> et qu'il ajoute encore cet autre[e],
> si ce n'est pas la mort
> qui nous sépare ! »

---

14. « *et retourna vers son peuple* » G ; *omis par* H.
15. « *Noémi lui dit* » : *le nom ajouté avec* G ; *omis par* H. — « *toi aussi* »
G Syr ; *omis par* H.

---

a) Expression sémitique qui signifie s'étendre, sortir en guerre contre
quelqu'un, s'abattre, s'appesantir.
b) Orpa retourne dans son pays, comme c'est son droit.
c) « À son peuple et à son dieu » c'est-à-dire Kemosh (*Stèle de Mésha*
et 1 R **11** 7). Les dieux étrangers exercent sur leurs territoires respectifs
une puissance incontestée et il convient de les respecter; telle était la
croyance de tout le monde ancien, contre laquelle le Yahvisme eut à lutter.
Orpa, quittant Noémi, retourne donc au culte de Kemosh.
d) Puisque Ruth entre dans le domaine de Yahvé, déjà elle adhère à lui
et elle va le prendre pour témoin (voir en sens contraire Dt **23** 4, qui exclut
les Moabites du culte de Yahvé). Et parce qu'elle se rattache à la famille
de Noémi, elle veut être ensevelie dans la sépulture de ceux qu'elle regarde
désormais comme « ses pères ».
e) Cf. Nb **5** 21 s; 1 S **3** 17; **14** 44; **20** 13; **25** 22; 2 S **3** 9, 35; **19** 14;
1 R **2** 23; 2 R **6** 31. Le serment imprécatoire exprimait explicitement les

¹⁸ Voyant que Ruth s'obstinait à l'accompagner, Noémi cessa d'insister auprès d'elle.

¹⁹ Elles s'en allèrent donc toutes deux jusqu'à Bethléem. Leur arrivée y mit toute la ville en émoi : « Est-ce bien là Noémi ? » s'écriaient les femmes. ²⁰ « Ne m'appelez plus Noémi, leur répondit-elle, appelez-moi Mara[a], car Shaddaï m'a remplie d'amertume[b] !

²¹ Comblée, j'étais partie;
   vide, Yahvé me ramène !
   Pourquoi m'appelleriez-vous encore Noémi,
   alors que Yahvé a témoigné contre moi
   et que Shaddaï m'a rendue malheureuse ? »

²² C'est ainsi que Noémi revint, ayant avec elle sa belle-fille, Ruth la Moabite, celle qui était revenue des Champs de Moab[c]. Elles arrivèrent à Bethléem au début de la moisson des orges[d].

---

maux qu'il appelait sur la personne visée. Mais, parce qu'il est dangereux de reproduire des paroles d'une efficacité aussi redoutable, le narrateur oriental remplace ces malédictions par une formule vague, puis il continue : « et qu'il (c'est-à-dire Yahvé) ajoute encore ceci ». Ruth a dû sans doute énoncer quelques malheurs au cas où elle violerait son serment. Pour certains, la formule se rattache au rite du sacrifice de l'alliance, Gn **15** 10; Jr **34** 18-19 » : la victime était coupée en deux et le vœu était émis que le parjure soit traité de même. Cette hypothèse est moins sûre. Le sens sera donc ici : « Que Yahvé punisse Ruth si autre chose que la mort la sépare de sa belle-mère. » Pour la valeur du serment par Yahvé, cf. Jg **11** 35.

a) *Mârâ'* « l'amère », avec une terminaison araméenne qui est suspecte. Il vaudrait mieux lire *Mârî,* « mon amertume », correspondant avec *Noémî,* « ma gracieuse ».

b) « Shaddaï m'a remplie d'amertume » : même nom divin et même expression dans Jb **27** 2, dans un contexte qui indique une puissance sévère. Pour les anciens, le malheur suppose une faute, voulue ou non. C'est la thèse des amis de Job.

c) « Celle qui... », glose tirée probablement de **2** 6.

d) Cf. **2** 23; Jdt **8** 2; 2 S **21** 9; c'est-à-dire dans le courant de mai.

RUTH DANS LES CHAMPS DE BOOZ

2. ¹ Noémi avait du côté de son mari *a* un parent. C'était un homme de condition *b*, qui appartenait au même clan qu'Élimélek, et il s'appelait Booz *c*.

² Ruth la Moabite dit à Noémi : « Permets-moi d'aller dans les champs glaner des épis, derrière celui qui m'agréera *d*. » Elle lui répondit : « Va, ma fille. » ³ Ruth partit donc et elle s'en vint glaner dans les champs derrière les moissonneurs. Sa chance la conduisit dans une pièce de terre appartenant à Booz, du clan d'Élimélek. ⁴ Et voici que Booz arrivait justement de Bethléem : « Que Yahvé soit avec vous ! » dit-il aux moissonneurs. Et eux de répondre : « Que Yahvé te bénisse *e* ! » ⁵ Booz demanda alors à celui de ses serviteurs qui commandait *f* aux moissonneurs : « A qui est cette jeune femme *g* ? » ⁶ Et le serviteur qui commandait aux moissonneurs répondit : « Cette jeune femme est la Moabite, celle qui est revenue des Champs de Moab

---

2 6. « *la Moabite* » *G ; l'article omis par H.*

a) Booz est donc à l'égard de Noémi un parent par alliance, mais à l'égard d'Élimélek, il est un parent par le sang, ce qui fait de lui le *goël* de Noémi.

b) Litt. « un vaillant de force », c'est-à-dire primitivement un guerrier, mais, parce qu'il fallait s'équiper soi-même, un propriétaire, un notable, 1 S **9**; 1 R **15** 20.

c) *Boʻoz*, probablement « le rapide », d'après l'arabe *bgʻz*.

d) Les deux femmes sont pauvres. D'après la Loi les pauvres avaient le droit de glaner les champs moissonnés, Dt **24** 19-22; Lv **19** 9-10; **23** 22. La coutume s'est conservée en pays arabe. Mais il dépend du propriétaire de laisser avec plus ou moins de bonne grâce le droit s'exercer.

e) Cf. Ps **129** 7-8.

f) Cf. 1 S **19** 20; 1 R **4** 7.

g) En Orient toute femme appartient à quelqu'un, père, mari, frère ou maître.

avec Noémi. [7] Elle a dit : ' Permets-moi de glaner et de ramasser des épis derrière les moissonneurs. ' Elle est donc venue et elle est restée sur ses jambes depuis ce matin jusqu'à présent. »

[8] Booz dit à Ruth : « Tu entends, n'est-ce pas, ma fille ! Ne va pas glaner dans un autre champ. Ne t'éloigne pas d'ici, mais attache-toi aux pas de mes serviteurs. [9] Regarde la pièce de terre qu'ils moissonnent, et suis-les. J'ai interdit aux serviteurs de te molester. Si tu as soif, va boire aux cruches de ce qu'ils auront puisé. » [10] Alors Ruth, tombant la face contre terre, se prosterna et lui dit : « Comment ai-je trouvé grâce à tes yeux, pour que tu t'intéresses à moi qui ne suis qu'une étrangère[a] ? » — [11] « C'est qu'on m'a rapporté, lui répondit Booz, tout ce que tu as fait pour ta belle-mère après la mort de ton mari, comment tu as quitté ton père, ta mère et ton pays natal, pour te rendre chez un peuple que tu n'avais jamais connu ni d'hier ni d'avant-hier. [12] Que Yahvé te rende selon ce que tu as fait et que Yahvé, le Dieu d'Israël, sous les ailes[b] de qui tu es venue t'abriter, te récompense pleinement. » [13] Elle dit : « Puissé-je toujours trouver grâce à tes yeux, Monseigneur[c] ! Tu m'as rassurée et tu as parlé avec bonté à ta servante, alors

---

7. *Après « glaner » H ajoute « entre les gerbes »; mais ce sera au v.* 15 *l'objet d'une permission spéciale de Booz.* — « *elle est restée sur ses jambes », litt. « elle n'a pas pris le moindre repos » conj. d'après G (qui ajoute « dans le champ »); H corrompu.*

8. « *serviteurs » cf. vv.* 3, 4, 7, 9, 14, 21; « *servantes » H.*

9. « *suis-les », pronom au masculin comme au v.* 8; *H féminin.*

a) Nôkriyyâh, litt. une inconnue, celle que l'on ne reconnaît pas comme étant de la famille.

b) « Sous les ailes », une de ces images comme l'ombre, le bouclier, etc., par lesquelles la Bible symbolise la protection divine. Ps **36** 8; **51** 2; **90** 4.

c) Cf. 1 S **1** 18; 2 S **16** 4. On remercie le bienfaiteur en souhaitant la continuation de ses bontés.

que je ne suis pas même l'égale de l'une de tes servantes[a]. »

¹⁴ Au moment du repas, Booz dit à Ruth : « Approche-toi, mange de ce pain, et trempe ton morceau dans la piquette[b]. » Elle s'assit donc à côté des moissonneurs et Booz lui fit aussi un tas de grains rôtis[c]. Après qu'elle eut mangé à satiété elle en eut de reste. ¹⁵ Lorsqu'elle se fut levée pour glaner, Booz donna cet ordre à ses serviteurs : « Laissez-la glaner même entre les gerbes[d], et vous, ne lui faites pas d'affront. ¹⁶ Et même ayez soin de tirer pour elle de vos javelles[e] quelques épis que vous laisserez tomber, elle pourra les ramasser et vous ne crierez pas après elle. » ¹⁷ Ruth glana dans le champ jusqu'au soir, et lorsqu'elle eut battu ce qu'elle avait ramassé, il y avait environ une mesure d'orge[f].

¹⁸ Elle l'emporta et, rentrée à la ville, elle montra à sa belle-mère ce qu'elle avait glané, elle montra aussi ce qu'elle avait réservé après avoir mangé à sa faim, et elle le lui donna. ¹⁹ « Où as-tu glané aujourd'hui, lui demanda sa belle-mère, où as-tu travaillé ? Béni soit celui qui s'est intéressé à toi ! » Ruth fit connaître à sa belle-mère chez

---

14. « *lui fit un tas* » wayyiṣbor *G* ; « *lui tendit* » wayyiṣbâṭ *G*.
18. « *elle montra à sa belle-mère* » Mss hébr. Syr Vulg ; « *sa belle-mère vit* » H.

---

a) « alors que je ne suis pas même (l'égale de tes servantes) » H; « me voici devenue » G.

b) Ḥomèṣ est un mélange d'eau, de vinaigre de vin, et d'une boisson fermentée quelconque, interdite aux nazirs, Nb **6** 3.

c) Le grain rôti, blé ou orge, est encore à l'heure actuelle consommé en Orient comme le maïs grillé l'est en Égypte et en Amérique.

d) Cette autorisation est une faveur, contraire à la coutume encore d'aujourd'hui. La glaneuse est trop près des moissonneurs et elle aurait facilement la tentation d'en abuser pour enlever des épis aux javelles.

e) Le moissonneur, en Orient, ne coupe pas la tige de l'orge ou du blé au ras de la terre. Il prend dans sa main autant de tiges qu'il peut et les coupe juste sous sa main, le plus près possible de l'épi. Cette poignée constitue la javelle. Huit ou dix javelles font une gerbe.

f) Un *épha* : environ 36 litres.

qui elle avait travaillé; elle dit : « L'homme chez qui j'ai
travaillé aujourd'hui s'appelle Booz. » [20] Noémi dit à sa
bru : « Qu'il soit béni par Yahvé qui ne cesse d'exercer sa
bonté[a] envers les vivants et les morts ! » Et Noémi
ajouta : « Cet homme est notre parent. Il est de ceux qui
ont sur nous droit de rachat[b]. » [21] Ruth dit encore à sa
belle-mère : « Il m'a dit aussi : Reste avec mes serviteurs
jusqu'à ce qu'ils aient achevé toute ma moisson. » [22] Noémi
dit à Ruth, sa bru : « C'est bien, ma fille, va avec ses serviteurs, ainsi tu ne seras pas exposée à être mal accueillie dans
un autre champ. » [23] Ruth se joignit donc pour glaner aux
serviteurs de Booz jusqu'à la fin de la moisson des orges
et de la moisson du blé[c]. Et elle continuait à demeurer
avec sa belle-mère[d].

BOOZ ENDORMI

3. [1] Cependant Noémi, sa belle-mère, lui dit : « Ma
fille, ne dois-je pas chercher à t'établir afin que tu sois
heureuse ? [2] Booz n'est-il pas notre parent, lui dont tu as

---

21. *Après « Ruth » H ajoute « la Moabite »; omis par G Syr Vulg.*
22 *et* 23. *« serviteurs » cf. note sur v.* 8; *« servantes » H.*

---

a) Cf. **1** 20 s.
b) Litt. « C'est un de nos *goël* ». Le *goël* est tenu par la loi de solidarité du
clan de racheter le parent tombé en esclavage, Lv **25** 47 s, ou le champ,
héritage de famille qui aurait été aliéné, Lv **25** 25-28, ou de se faire le
vengeur du sang, Nb **35** 19; Jg **8** 18-21, ou d'épouser la veuve de son
frère pour lui susciter une postérité, Dt **25** 5-10. Dans le cas présent, son
devoir est double : racheter le champ d'Élimélek, **4** 4, et épouser Ruth,
3 9-13; **4** 6. Le parent, *qârôb*, est le goël le plus proche, à qui incombent les
devoirs énumérés ci-dessus. Booz n'est pas le premier parent, **3** 12.
c) La moisson du blé commence deux ou trois semaines après celle des
orges.
d) Dans G Syr Vulg, cette incise commence le ch. **3**.

suivi les serviteurs ? Eh bien, ce soir même[a] il doit vanner l'orge sur son aire. 3 Lave-toi donc et parfume-toi; habille-toi[b] et descends à l'aire, mais ne te laisse pas reconnaître par lui avant qu'il n'ait achevé de manger et de boire. 4 Quand il sera couché[c], observe l'endroit où il repose; alors tu iras, tu découvriras une place à ses pieds[d] et tu t'y coucheras. Il te fera savoir lui-même ce que tu auras à faire. » 5 Et Ruth lui répondit : « Tout ce que tu me dis, je le ferai ! »

6 Elle descendit donc à l'aire et fit tout ce que sa belle-mère lui avait recommandé. 7 Booz, après avoir mangé et bu, s'en alla, d'humeur joyeuse[e], dormir auprès du tas d'orge. Alors Ruth se glissa tout doucement, découvrit une place à ses pieds et s'y étendit. 8 Au milieu de la nuit l'homme eut un frisson[f] et, regardant tout autour de lui, il vit une femme couchée à ses pieds. 9 « Qui es-tu ? » s'écria-t-il. — « Je suis Ruth, ta servante[g], lui répondit-elle. Étends sur ta servante le pan[h] de ton manteau, car tu as

---

3 2. « *serviteurs* » *comme au v.* 8; « *servantes* » *H.*

---

a) Le soir, Jos **2** 2, au moment où se lève la brise qui vient de la mer. Il ne s'agit pas de notre van en forme de coquille, mais d'une pelle ou fourche à dents larges. L'opération consiste à jeter en l'air le grain mélangé à la paille, laquelle s'envole tandis que le grain plus lourd retombe sur l'aire.

b) Litt. « mets ton manteau » : *śimlâh,* le grand manteau qu'on enroule autour du corps et qui était déjà connu des Cananéens. Le mot se retrouve avec le même sens en arabe, en araméen, et dans les ostraka de Lakish.

c) En Palestine, le paysan, par crainte des voleurs, couche sur l'aire où se trouve son grain.

d) *Margelôt,* litt. « le lieu des pieds ». Enveloppée dans son propre manteau, Ruth s'étend aux pieds de Booz.

e) Joie de la moisson, proverbiale en Israël, cf. Is **9** 2.

f) Booz frissonne et se réveille sous l'effet du froid de la nuit — et d'un mouvement divin...

g) *'âmâh,* l'esclave femme, Jg **9** 18; **19** 19, mais ici formule de politesse orientale.

h) Litt. « l'aile (c'est-à-dire le pan) de ton manteau, parce que tu es mon goël », cf. Dt **23** 1; **27** 20; Ez **16** 8. En réalité Ruth demande à Booz de l'épouser. Ce geste existait déjà chez les anciens Arabes et il a persisté chez les Bédouins modernes.

sur moi droit de rachat ! » — [10] « Bénie sois-tu de Yahvé,
ma fille, lui répliqua-t-il, ce second acte de piété filiale[a] que
tu accomplis l'emporte sur le premier[b], puisque tu n'as
pas recherché des jeunes gens, pauvres ou riches. [11] Sois
donc sans crainte, ma fille, tout ce que tu demanderas, je
le ferai pour toi, car tout le monde[c] à la porte de Bethléem
sait que tu es une femme parfaite[d]. [12] Toutefois, s'il est vrai
que j'ai droit de rachat[e], il y a un parent plus direct que
moi. [13] Passe la nuit ici, et demain matin, s'il veut exercer
son droit à ton égard, c'est bien, qu'il te rachète, mais s'il
ne veut pas le faire, alors, par Yahvé vivant, c'est moi qui
te rachèterai. Reste couchée jusqu'au matin. » [14] Elle resta
donc couchée à ses pieds jusqu'au matin. Booz se leva[f] à
l'heure où il est encore impossible à un homme d'en
reconnaître un autre, car il se disait : « Il ne faut pas qu'on
sache que cette femme est venue à l'aire[g]. » [15] Il dit alors :
« Présente le manteau que tu as sur toi et tiens-le bien. »

---

15. « *sur elle* » *G Syr ; omis par H.* — « *elle revint* » *Mss hébr. Syr Vulg ;*
« *il rentre* » *H.*

---

a) Hèsèd désigne d'abord la piété envers les parents. Cf. **1** 8 et la note.

b) Ce premier acte filial de Ruth a été de ne pas abandonner sa belle-
mère, **2** 11. Le second, c'est de vouloir donner un descendant légal à son
beau-père Élimélek, en préférant se remarier avec Booz son goël, plutôt
que de faire un mariage d'inclination avec quelque jeune homme.

c) Litt. « toute la porte de mon peuple », c'est-à-dire l'assemblée qui se
tient à la porte de la ville et où les principaux se réunissaient pour converser
et traiter des affaires communes. C'est là en Orient que se forme l'opinion
publique.

d) Litt. « de vertu », femme parfaite à tous égards.

e) « S'il est vrai que j'ai droit de rachat ». H porte litt. : « Et maintenant
certes je suis *goël*. » Cf. **2** 20 et la note. Le mot signifie tout d'abord racheter,
puis, avec effacement de l'idée de paiement, libérer. S'ajoutant au sens
légal de racheteur, le terme a pris par extension le sens de plus proche
parent, puis, enfin, d'acquéreur, en tant que *goël,* du champ ou de la veuve.
En dernière acception, il signifie épouser en tant que *goël*.

f) Le verbe est au masculin, il faut donc suppléer comme sujet « Booz ».

g) Booz tient à ménager la réputation de celle qui va peut-être demain
devenir son épouse.

Elle le lui tendit, il y mit six parts*a* d'orge, qu'il chargea sur elle, et elle revint à la ville.

¹⁶ Lorsque Ruth rentra chez sa belle-mère, celle-ci lui dit : « Qu'en est-il de toi, ma fille ? » Ruth lui raconta tout ce que cet homme avait fait pour elle. ¹⁷ Elle ajouta : « Ces six parts d'orge, il me les a données en disant : ' Il ne faut pas revenir les mains vides chez ta belle-mère '. » — ¹⁸ « Ma fille, reste en repos, lui répliqua Noémi, jusqu'à ce que tu saches comment tournera cette affaire; assurément cet homme n'aura de cesse qu'il ne l'ait menée à bonne fin aujourd'hui même. »

BOOZ ÉPOUSE RUTH

4. ¹ Booz cependant était monté à la porte de la ville et s'y était assis, et voici que le parent dont Booz avait parlé vint à passer : « Toi, lui dit Booz, approche et assieds-toi ici. » Et l'homme s'approcha et vint s'asseoir. ² Booz choisit dix hommes parmi les anciens *b* de la ville : « Asseyez-vous ici », leur dit-il, et ils s'assirent. ³ Alors, s'adressant à celui qui avait droit de rachat : « La pièce de terre qui appartenait à notre frère*c* Élimélek, Noémi, qui est revenue des Champs de Moab, la met en vente*d*. ⁴ J'ai jugé bon de t'en informer et je te dis : Acquiers-la en présence de ceux qui sont assis ici et des anciens de mon peuple*e*. Si tu veux

---

a) La « part » est probablement le *'omer* (un peu plus de 3 l., à ne pas confondre avec le *homer* = 10 *épha*), et non pas l'*épha* (environ 36 l.).

b) Cf. 1 S **21** 3; 2 R **6** 8. Les anciens et les notables de la cité.

c) « Notre frère » au sens de parent.

d) Cf. Nb **27** 1-11 : la femme a le droit de posséder des biens-fonds lorsqu'il n'y a pas de descendance mâle.

e) Cf. Lv **25** 23-25 : le goël a le devoir d'empêcher l'aliénation de la pièce de terre.

exercer ton droit de rachat, rachète, mais si tu ne le veux pas, fais-moi connaître tes intentions : tu es le premier à disposer du droit de rachat; moi, je ne viens qu'après toi. » L'homme répondit : « Oui, je veux bien racheter. » 5 Mais Booz ajouta : « Le jour où, de la main de Noémi, tu acquerras ce champ, tu acquiers aussi Ruth, la Moabite, la femme du défunt, pour perpétuer le nom du défunt sur son patrimoine[a]. » 6 Celui qui avait le droit de rachat répondit : « Alors, je ne puis pas exercer mon droit, car je craindrais de nuire à mon propre héritage. Exerce pour ton compte mon droit de rachat, car moi je ne puis en user[b]. » 7 Or c'était autrefois la coutume[c] en Israël, en cas de rachat ou d'échange, pour valider toute affaire : l'une des parties tirait sa sandale et la donnait à l'autre[d]. Telle était en Israël la manière de ratifier devant témoins. 8 Celui qui avait droit de rachat dit donc à Booz :

---

4 4. « *si tu ne le veux pas* » *Mss hébr. Vers.*; « *s'il ne veut pas* » H.
  5. « *tu acquiers* » *Qer* ; « *j'acquiers* » H *Ket.*

---

a) Booz lie les deux choses, l'acquisition de la terre et le mariage avec Ruth. Le parent le plus proche est à la fois goël de Noémi pour le champ et goël d'Élimélek pour épouser Ruth et perpétuer le nom du défunt. L'enfant qui naîtra sera l'héritier légal d'Élimélek et c'est à lui que reviendra la terre.

b) Cf. Dt 25 6, 7. S'il y a un enfant, la propriété revient à cet enfant, réputé fils de Mahlôn, fils d'Élimélek. Le goël n'aura donc pour lui que la personne de Ruth qui serait sa femme. Ce mariage ne pas lui paraître un gain suffisant. Remarquer qu'au v. 5 Ruth est censée l'épouse d'Élimélek, chef de la famille; Mahlôn, l'intermédiaire, n'entre pas en ligne de compte.

c) « la coutume » : sous-entendu avec G et Vers.

d) Parenthèse archéologique comme dans 1 S 9 9. La coutume dont il est ici question est différente de celle dont parle Dt 25 9-10. Dans la loi deutéronomique, c'est un acte injurieux dirigé contre l'homme qui a la lâcheté de se refuser à épouser la femme de son propre frère mort sans postérité. C'est alors la jeune femme elle-même qui retire la sandale de son beau-frère et lui crache au visage. Ici au contraire le geste de retirer la sandale a pour but de ratifier un contrat d'échange. Mettre le pied sur un champ est dans l'antiquité un moyen d'en prendre possession, y jeter sa sandale a la même signification. Ps **60** 10; **108** 10. La chaussure devient ainsi le symbole du droit de propriété. En la retirant, le vendeur se dépouille d'un droit, et, en le remettant à l'acquéreur, il lui transmet ce droit auquel lui-même renonce.

« Fais l'acquisition à ton profit » et il retira sa sandale.

⁹ Booz dit alors aux anciens et à tout le peuple : « Vous êtes témoins aujourd'hui que j'acquiers de la main de Noémi tout ce qui appartenait à Élimélek et tout ce qui appartenait à Kilyôn et à Mahlôn*a*, ¹⁰ que j'acquiers en même temps pour femme Ruth la Moabite, veuve de Mahlôn, pour perpétuer le nom du défunt sur son héritage, et pour que le nom du défunt *b* ne disparaisse pas parmi ses frères ni à la porte de sa ville. Vous en êtes aujourd'hui témoins. » ¹¹ Tout le peuple qui se trouvait à la porte répondit : « Nous en sommes témoins. » Et les anciens répondirent : « Que Yahvé rende la femme qui va entrer dans ta maison, semblable à Rachel et à Léa qui, à elles deux, ont édifié la maison d'Israël*c*.

> Deviens puissant en Éphrata
> et fais-toi un nom dans Bethléem*d*.

¹² Que grâce à la postérité que Yahvé t'accordera de cette jeune femme, ta maison soit semblable à celle de Pérèç, que Tamar enfanta à Juda*e*. »

¹³ Booz épousa donc Ruth et elle devint sa femme. Lorsqu'il se fut uni à elle, Yahvé permit à Ruth de conce-

---

9. « *à tout (le peuple)* » *Mss hébr. G Syr ;* « *tout* » *H.*
11. *D'après G ; H et Vulg ont :* « *Et le peuple qui se trouvait à la porte de Bethléem et les anciens dirent : Nous en sommes témoins. Que Yahvé...* »

---

a) Booz se trouve dès lors investi des droits et des devoirs du plus proche parent, puisque le premier goël s'en est dépouillé symboliquement.

b) Il s'agit d'Élimélek, comme aux vv. 3 et 5 il s'agit de lui et de son champ.

c) Les gens qui sont à la porte de la ville sont témoins et les anciens ajoutent leurs vœux. Pour Rachel et Léa, cf. Gn **35** 23-26. Rachel est morte sur le territoire de Bethléem, Gn **35** 19.

d) Nous avons là vraisemblablement un souhait poétique que l'on adressait aux nouveaux mariés de la région.

e) Par son mariage lévitarique avec Jacob (Gn **38**), Tamar avait donné à son mari défunt, Er, premier-né de Juda, deux jumeaux Zérah et Pérèç. Celui-ci est l'ancêtre de Booz et d'Éphrata, 1 Ch **2** 5, 9-12, 19, 50.

voir[a] et elle enfanta un fils. [14] Les femmes dirent alors à Noémi[b] : « Béni soit Yahvé qui a fait aujourd'hui qu'un proche parent ne manquât pas au défunt pour perpétuer son nom en Israël. [15] Il sera pour toi un consolateur et le soutien de ta vieillesse, car il a pour mère ta bru qui t'aime, elle qui vaut mieux pour toi que sept fils. » [16] Et Noémi, prenant l'enfant, le mit sur son sein et ce fut elle qui prit soin de lui[c].

[17] Les voisines lui donnèrent un nom. Elles dirent : « Il est né un fils à Noémi » et elles le nommèrent Obed[d]. C'est le père de Jessé père de David[e].

‖ 2 Ch **2** 5-15

Généalogie de David[f].

[18] Voici la postérité de Pérèç. Pérèç engendra Heçrôn. [19] Heçrôn engendra Ram et Ram engendra Amminadab. [20] Amminadab engendra Nahsôn et Nahsôn engendra Salmôn. [21] Salmôn engendra Booz et Booz engendra Obed. [22] Et Obed engendra Jessé et Jessé engendra David.

---

14. « (*ne manquât pas*) *au défunt* » lammêt *conj.* (*ce qui explique* « *son nom* »); « (*ne*) *te* (*manquât pas*) » lâk *H.*

---

a) Fécondité et stérilité sont attribuées à Dieu, Gn **29** 31; **30** 2, etc.

b) Cf. Lc **1** 58. Noémi est la mère légale de l'enfant, comme Élimélek en est légalement le père.

c) Ce n'est pas un rite d'adoption, puisque l'enfant de Ruth est légalement celui de Noémi, cf. Gn **30** 3, et c'est ce que les voisines, au v. 17, ont parfaitement compris. Cf. le symbole de Nb **11** 12.

d) *Obed*, nom théophore : « le serviteur », sous-entendu de Yahvé, comme *Obadyah*, etc. Une fois l'enfant né, Ruth et Booz disparaissent, ils ne donnent même pas à leur fils son nom. L'auteur sacré ne met en valeur que la maternité légale de Noémi, épouse d'Élimélek.

e) Cette courte généalogie terminait le texte primitif.

f) Cette seconde généalogie (qui omet nombre d'intermédiaires) se retrouve dans 1 Ch **2** 5-15, et avec quelques changements dans Mt **1** 3-6. Elle ne peut pas être de l'auteur du livre de Ruth; au v. 21 « Booz engendra Obed » n'est pas dans l'esprit du récit; le nom d'Élimélek n'est plus prononcé et tout le dévouement de Ruth y a perdu sa valeur. Mais un autre enseignement, universaliste, se dégage : c'est Ruth, l'étrangère, comme le soulignera l'Évangile, qui est l'aïeule de David et par lui du Christ.

TABLE

		Pages
Introduction au Livre des Juges	. . . . . .	9
Le Livre des Juges	. . . .	33
Première Introduction : récit sommaire de l'entrée en Canaan, **1** 1-2 5	. . . .	33
Seconde Introduction : considérations générales sur la période des Juges, **2** 6-**3** 6	. . . . . .	40
Histoire épisodique des Juges, **3** 7-**16** 31	. . . . .	45
I. Otniel, **3** 7-11	. . . .	45
II. Éhud, **3** 11-30	. . . .	46
III. Shamgar, **3** 31	. . . .	50
IV. Débora et Baraq, **4-5**	. . . . .	50
V. Gédéon et Abimélek, **6-9**	. . . . .	61
VI. Tola, **10** 1-2	. . . .	88
VII. Yaïr, **10** 3-5	. . . .	89
VIII. Jephté, **10** 6-**12** 7	. . . .	89
IX. Ibçân, **12** 8-10	. . . .	99
X. Élôn, **12** 11-12	. . . .	99
XI. Abdôn, **12** 13-15	. . . . . .	99
XII. Samson, **12-16**	. . . .	100

Appendices :

    I. Le sanctuaire de Mika et le sanctuaire de Dan,
17-18 116

    II. Le crime de Gibéa et la guerre contre Benjamin, 19-21 125

INTRODUCTION AU LIVRE DE RUTH 145

LE LIVRE DE RUTH 151

Carte de la Palestine ancienne . . . . *hors-texte*

ACHEVÉ D'IMPRIMER SUR LES
PRESSES DE L'IMPRIMERIE
DARANTIERE A DIJON, LE
DIX-SEPT MARS M. CM. LVIII

Numéro d'édition 4.863
Dépot légal 1er trimestre 1958